La duchesse
des Bois-Francs

MARYSE PELLETIER

La duchesse
des Bois-Francs

la courte échelle

Les éditions de la courte échelle inc.
5243, boul. Saint-Laurent
Montréal (Québec) H2T 1S4

Photo de la couverture avant :
Tomate, d'après des photos d'archives de Maryse Pelletier

Photo de la couverture arrière :
Robert Laliberté

Conception graphique de la couverture :
Elastik

Conception graphique de l'intérieur :
Derome design inc.

Mise en pages :
Mardigrafe inc.

Révision des textes :
Sophie Sainte-Marie

Dépôt légal, 3ᵉ trimestre 2002
Bibliothèque nationale du Québec

La courte échelle reconnaît l'aide financière du gouvernement du Canada par l'entremise du Programme d'aide au développement de l'industrie de l'édition pour ses activités d'édition. La courte échelle est aussi inscrite au programme de subvention globale du Conseil des Arts du Canada et reçoit l'appui du gouvernement du Québec par l'intermédiaire de la SODEC.

La courte échelle bénéficie également du Programme de crédit d'impôt pour l'édition de livres — Gestion SODEC — du gouvernement du Québec.

L'auteure remercie le Conseil des Arts du Canada pour son appui financier.

Données de catalogage avant publication (Canada)

Pelletier, Maryse

La duchesse des Bois-Francs

(Roman ; 29)

ISBN 2-89021-603-9

I. Titre.

PS8581.E398D88 2002   C843'.54   C2002-941322-2
PS9581.E398D88 2002
PQ3919.2.P44D88 2002

À tous les descendants de Catherine,
particulièrement Monique et Marjolaine.

Remerciements à
Loyola, Elphège, Marjolaine,
Monique, Laurette et Lisette.

Maryse

Note de l'auteure:
Les noms de la plupart des personnages
et des lieux ont été changés.

Prologue

On m'a toujours dit que je lui ressemblais. Quand j'étais petite, c'était une véritable malédiction à porter, d'autant plus que j'avais peur d'elle. En sa présence, j'avais l'impression que des pinces m'enserraient le cou, me forçant à baisser la tête et à demander pardon. De quoi ? D'avoir des idées, de l'énergie et des désirs, d'être joyeuse, légère et intelligente ; il m'aurait fallu demeurer assise, attentive, mesurée, silencieuse et obéissante en toute circonstance. Même là, elle m'aurait refusé son approbation, par méchanceté.

Son ombre papillonnante et noire a volé au-dessus de mon épaule droite, réprouvant mes initiatives, scrutant mes pensées, étouffant mes élans vers la liberté.

En grandissant, je l'ai moins haïe et j'en suis venue à vouloir connaître son histoire.

Je la raconte dans l'espoir, peut-être vain, que la dernière partie de ma vie soit libérée de son influence.

Elle, c'est ma grand-mère Catherine.

I

Il était une fois un village de l'est du Québec, appelé Saint-Rémi-de-Price, qui était et est encore un patelin bien calé sur des rochers, dans la cuvette qu'a creusée la rivière Price pour se précipiter vers le fleuve Saint-Laurent. Depuis que Saint-Rémi existe, la majorité de ses habitants gagne son pain à partir du travail du bois : coupe, drave, sciage, et tout le reste. Le paysage environnant est boisé sans discontinuité, jusqu'à ce que les rochers, las de résister au fleuve, décident d'y plonger brusquement, quelques centaines de milles plus loin, au bout de la péninsule gaspésienne. Dans tous les villages, il y a des familles originales. Saint-Rémi ne fait pas exception à la règle, il a sa tribu bizarre qui préoccupe les curés et les grandes langues, et dont les voisins ont vaguement peur. C'est justement celle où Catherine Joncas, ma grand-mère, est née.

À vrai dire, c'est sa mère qui, au départ, est étiquetée comme étrange et discutable. Philomène de son prénom, Boutin de son nom de fille, est un phénomène. Petite, noiraude, vive, aux formes carrées et sèches, elle est cinglante, sévère et méchante. Surtout méchante. Elle est aussi mauvaise qu'un diable, et Dieu sait ce que celui-là peut inventer. Quand on pense à elle, on commence par se demander pourquoi le Créateur, dans son infinie justice, ne l'a pas châtiée une bonne fois pour toutes, puis, avec l'humilité qu'apporte l'âge, on comprend que sa présence, ses actes, son caractère, sa vie, en réalité, sert à la rédemption de son entourage.

Pourtant, Philomène est bien mariée. Adolphe Joncas, qu'elle a épousé en 1894, est un grand type aux larges épaules, sérieux, fidèle, qui travaille au moulin de la Price Brothers; scieur, il fait partie des ouvriers les mieux payés. Elle devrait se montrer un tantinet satisfaite. Pas du tout! Elle le harangue au sujet de la poussière sur ses vêtements, du puits situé trop loin de la maison ou de la rivière trop dangereuse à traverser.

Il faut croire que son mauvais caractère ne l'empêche pas d'avoir des moments de complaisance envers lui, puisqu'elle met au monde beaucoup d'enfants. Agit-elle seulement par souci d'obéissance à l'Église? Peut-être, mais ardente à éviter la culpabilité, elle s'y adonne avec une constance et une détermination exemplaires. Et puis est-ce que les enfants attendent que l'harmonie règne dans un ménage pour se présenter de ce côté-ci de la vie?

Son premier rejeton naît en juillet 1896, presque deux ans après le mariage. C'est une fille bien portante, gigoteuse, au sourire ensoleillé et au teint foncé. C'est Catherine. Ma Catherine.

Vieille, elle possédait encore une voix remarquable, étrangement métallique, forte, assurée, aux intonations basses qui s'entendaient de loin. J'imagine qu'elle l'avait au berceau pour pleurer et gazouiller; la voix des enfants naît avec eux, incomparable, soudée à leur corps. Si elle l'étouffa durant son adolescence, elle se rattrapa vite et, le reste de sa vie, l'utilisa sans contrainte dans l'étendue de sa tessiture, avec tout le volume dont elle était capable, malgré sa prétention à une certaine classe.

À l'époque, les mères allaitent leurs petits. Catherine a tété goulûment, si j'en juge par l'appétit effréné qu'elle montra par la suite pour ce qui est succulent, savoureux et délectable. Les qualificatifs culinaires imageront d'ailleurs son vocabulaire quotidien: l'un a des joues mangeables, l'autre, des fesses à croquer, un troisième, des bras ragoûtants, et elle lève le nez sur qui a la couenne dure, le gras mou, l'allure champignonnesque ou la gueule en chou-fleur.

Avec cette Catherine totalement saine qui leur arrive la première, les Joncas père et mère sont rassurés sur leur capacité à mettre au monde des êtres à dix doigts de main et de pied. Dès lors, ils ne s'arrêtent plus. Tous les deux ans, Philomène, sérieuse, farouche et enragée, donne naissance à une fille : c'est Albertine, puis Alice, Adrienne, Cécilia et Laura. En 1906, la famille d'Adolphe Joncas de Saint-Rémi compte huit personnes, dont sept filles. « Le pauvre homme ! répète-t-on dans son entourage, il est obligé de rentrer son bois seul : Philomène, la méchante égoïste, a gardé l'aide pour elle ! Heureusement qu'il n'est pas cultivateur ! À qui léguera-t-il son nom ?»

Laura meurt encore bébé. Philomène, qui juge qu'elle a fait plus que sa part côté enfantement, utilise le moyen qu'elle connaît pour arrêter les naissances et ordonne à Adolphe de coucher dans la grange. Il lui obéit, avec un certain regret, on l'imagine, regret que grand-maman n'a jamais mentionné quand elle racontait cet épisode.

Dans les grosses familles, l'aînée porte une partie du fardeau des parents, et Catherine n'échappe pas à la règle. D'une habileté peu commune, possédant une énergie indéfectible, elle assume plus que son lot des tâches ménagères. Parallèlement, elle fréquente l'école. Elle aime lire, raconter, écouter, elle prend plaisir à tracer de belles lettres rondes, élégantes, sophistiquées, c'est visible dans toute sa correspondance. Elle est curieuse de tout et se réjouit de recevoir des réponses à ses questions.

Malheureusement, son bonheur est de courte durée. Si le salaire d'Adolphe est acceptable, son travail, lui, est saisonnier. Il a du mal à joindre les deux bouts. Philomène demande alors à son aînée de quitter l'école pour apporter sa contribution aux revenus de la famille. Elle obéit sans rechigner, c'est pratique courante à l'époque. Sa déception est compensée par la possibilité de se mettre en valeur, d'accéder au monde des grands ; elle a le sens des responsabilités depuis qu'elle a une conscience, c'est normal pour elle de besogner, d'utiliser ses talents au service des siens.

Dès l'âge de douze ans, elle coud comme une professionnelle, exécutant à merveille les collets hauts, les décolletés profonds, les tailles et bustes ajustés, les volants, les manches bouffantes et les jupes à plis des robes de cette époque. Elle se vantera jusqu'à sa mort de son talent précoce, de telle sorte que sa famille, à sa suite, le claironne encore aujourd'hui.

Au sortir de l'enfance, elle se rend donc chez des clients, où elle est nourrie et logée le temps qu'elle confectionne les vêtements demandés. En guise de salaire, elle reçoit un dollar, qu'elle remet à ses parents avant de recommencer ailleurs.

— Le beau butin, je l'ai reconnu vite ! lance-t-elle, fière, quand elle raconte ses années de jeunesse.

Il est vrai qu'elle apprend à la vitesse de l'éclair à différencier les tissus de bonne qualité des étoffes grossières ; sensuelle, elle préfère travailler la soie, le lin, la pure laine et les cotons fins, si doux sous la main. Dans la même foulée, elle repère les gens de goût, pour lesquels elle éprouve une adoration immédiate. Et comme le raffinement a l'argent pour corollaire, elle ne peut s'empêcher de révérer les gens riches et cultivés. Dans son for intérieur, elle se compare à son entourage et acquiert la conviction que sa passion pour le beau est une qualité que Dieu, personnellement, lui a décernée.

— Y a du monde avec une tête, pis du monde sans !

C'est ainsi qu'elle départage les gens. Et elle relate avec une implacable ironie les multiples occasions où sa sœur Adrienne choisissait des tissus laids et inélégants pour se confectionner des robes sans style et mal ajustées.

Chaque fois qu'elle revient à Saint-Rémi, Catherine tente de persuader sa mère et ses sœurs de privilégier la qualité, quitte à payer un peu plus cher ; en vain, les pauvres ignares sont insensibles à ses appels répétés. Elle en conçoit un

14

grand sentiment d'impuissance et de frustration, si bien qu'elle finit par perdre goût aux séjours à la maison.

De leur côté, les époux Joncas ont arrêté de faire des enfants il y a quelques années. Adolphe regrette cependant l'absence d'un fils qui transmettrait son nom, assurerait sa descendance. Il s'en plaint à la principale intéressée. Elle voit rouge et l'envoie paître. À trente-sept ans, elle a plusieurs raisons de refuser une nouvelle naissance, dont celles de n'être plus toute jeune et de courir le risque d'avoir une autre fille.

Malgré tout, Adolphe, le doux Adolphe, insiste. Il s'en ouvre à son entourage. Le mot se répand dans Saint-Rémi. On s'émeut, on s'organise, on décide de faire sa part et on s'agenouille pour prier. Jamais la Vierge, saint Joseph et le Sacré-Cœur n'auront entendu tant de neuvaines, jamais le curé n'aura reçu d'aumônes si généreuses aux messes du dimanche.

Vaincue par la pression populaire, peut-être aussi par la douceur de son mari, Philomène le rappelle de la grange et, ronchonneuse, lui redonne une place dans son lit. Entre la puissance de Dieu et celle de la nature, nul ne saurait déterminer laquelle domine, mais la combinaison des efforts déployés à gauche et à droite entraîne le résultat souhaité : Lionel, le fils tant désiré, naît en 1910, six ans après Cécilia, quatorze ans après Catherine.

Si Catherine est souvent éloignée de chez elle, elle a quand même suivi les péripéties entourant cette naissance. Ce qu'elle en retient, ce n'est pas que Dieu exauce les prières, c'est qu'il est capricieux, qu'il fait éternellement à sa tête et qu'on ne peut pas compter sur lui à moins d'y mettre beaucoup du sien. À cette condition, et à cette condition seulement, il condescend à bouger un doigt divin dans le sens de ce qu'on lui demande.

Elle vient de prendre la mesure exacte de sa responsabilité sur sa propre vie.

2

Quand j'étais petite, je trouvais ma grand-mère cruelle. Je ne comprenais pas qu'elle soit si dure à l'endroit de ma douce, menue et gentille maman, ni pourquoi elle critiquait sans arrêt la conduite de mes frères et sœurs en leur absence. À présent que je connais la portée de l'influence des parents sur les enfants, je me l'explique un peu mieux, surtout à la lumière d'une histoire que toute la famille raconte à propos de Philomène, sa mère.

Philomène était reconnue pour sa méchanceté qui, paraît-il, s'exerçait particulièrement à l'encontre des enfants de son voisinage. Ils la dérangeaient; ils se rassemblaient en bande, de vrais coyotes, des diables tout droit sortis de l'enfer, et venaient rire d'elle devant sa maison, se moquer d'elle jusque sur sa galerie.

— La sauvagesse! La sauvagesse!

Il faut mentionner que, dans le Bas-du-Fleuve, les Malécites ont un territoire étendu et que l'accusation pouvait avoir un fondement, si on considère le teint foncé et les yeux noirs de la Philomène en question.

Elle s'en défendait néanmoins avec la dernière énergie. Quelle femme normalement constituée accepterait d'être apparentée à des païens mangeurs de bêtes sauvages et dépravés? À des individus dont la seule mention fait rougir les bonnes âmes? Jamais, au grand jamais, ses ancêtres n'ont frayé avec ces barbares! Ce ne sont pas des ragots à colporter ni des calomnies à répandre, et ces idiots d'enfants mal éduqués, ces vauriens, ces petits bandits devraient le savoir ! Elle devint l'adversaire impitoyable des gamins de son voisinage. Quels que soient leur pauvreté, l'état de délabrement de leurs souliers et de leurs culottes, elle leur renvoyait les balles qu'ils lançaient dans ses fenêtres, les pourchassait avec un bâton dont elle les frappait aussitôt qu'elle mettait la main sur eux — ce qui se produisait quelquefois, elle était preste — et promettait le gibet à ceux qu'elle ne réussissait pas à attraper. Peine perdue, ils revenaient plus nombreux affronter la «sauvagesse» et rire de la voir s'époumoner, cavaler et faire des moulinets inutiles avec ses longs bras maigres.

La hargne et la soif de vengeance de Philomène crûrent au rythme des provocations qu'elle endurait. Elle se plaignit au curé, qui, pour sa courte honte, lui prêcha le pardon et la charité chrétienne. Elle courut se lamenter au maire, qui lui conseilla de cesser de poursuivre ses assaillants parce que cela les encourageait. Elle se rendit jusque chez le député réclamer que justice soit rendue, pour se faire opposer qu'on ne peut mettre des citoyens en prison sous prétexte qu'ils crient des noms.

Moins elle obtenait réparation à ses maux, plus son ire vengeresse montait, s'enflait jusqu'au déraisonnable. Abandonnée par les pouvoirs en place, résolue à montrer à ces petits sacripants qu'elle n'entendait pas à rire quand on bafouait une valeur aussi importante à ses yeux que l'honneur de sa famille, elle imagina pour les coupables un châtiment inusité et douloureux.

À l'époque, les gramophones produisaient les sons grâce à une aiguille qui décodait, pour ainsi dire, les sillons des rouleaux à musique. Quand ces aiguilles s'usaient, on devait les remplacer. Je ne sais où Philomène se les procura, il me semble que les Joncas n'étaient pas assez riches pour posséder un gramophone, mais elle accumula bientôt une quantité impressionnante de ces aiguilles qu'elle planta sous la rampe de sa galerie, de façon à les dissimuler.

Je l'imagine, noiraude et coriace, savourant à l'avance sa revanche, insérer délicatement les aiguilles dans le bois de pin, n'en laissant dépasser qu'un demi-pouce sous la main courante. « Vous ne perdez rien pour attendre, petites canailles », marmonne-t-elle à ses agresseurs, et cela l'aide à supporter vaillamment les piqûres qu'elle s'inflige dans le dessein de les infliger à d'autres.

Il lui faut trois jours pour achever sa tâche. Les enfants, qui ne s'approchent que lorsqu'elle est à l'intérieur, ne réussissent pas à deviner ce qu'elle fricote, à flatter et tâter sans cesse la rampe de sa galerie. Quand elle a terminé, elle ramasse ses outils et elle entre. C'est à son tour d'épier.

Aussitôt, les enfants, véritables manifestants devant un cordon de police qui se rompt, s'approchent, s'enhardissent jusqu'à atteindre la galerie, leur endroit habituel. Et ils comprennent.

Empoignant la rampe à pleines mains pour s'y accrocher, ils se piquent si bien les doigts aux aiguilles qu'ils hurlent de douleur et se sauvent en courant, abandonnant à son triste sort l'un des leurs, incapable de se libérer. Le laissé-pour-compte appelle en vain au secours, ses camarades sont rendus loin. Pour ajouter à sa peur, Philomène, victorieuse et mauvaise, sort sur son perron. Il voudrait s'envoler, s'évanouir dans la nature ; il tente un dernier effort, se déchire la peau en se libérant et court en zigzaguant jusque chez lui faire soigner ses doigts sanguinolents pendant que, pour une des seules fois de sa vie, Philomène éclate d'un long rire sonore.

— Ça vous apprendra, petits sacripants ! Ça vous apprendra !

Ils s'en souviendront. Ils continueront à la haranguer, sans plus tomber dans le piège.

Voilà. C'était la méchanceté de Philomène. Allergique au bonheur, incapable de caresses, distribuant les taloches plus facilement que les tartines, je crois qu'elle n'aimait pas plus les adultes que les enfants, et punissait avec une sévérité étudiée tout ce qu'elle jugeait inacceptable.

Mes oncles, mes tantes, mes cousins et cousines étaient au courant de l'histoire ; jusqu'au curé du village qui, l'évoquant, hochait la tête en récitant une prière, pour que Dieu lui pardonne.

Élevée par cette mère revêche et orgueilleuse, Catherine n'est peut-être pas entièrement responsable de son intransigeance et de l'attention exagérée qu'elle porta toute sa vie à sa réputation.

3

Juste après la naissance de Lionel, la vie et le caractère de ma Catherine prennent un tournant majeur à la faveur de son séjour chez les Richardson.

À la vérité, quand j'ai pensé à poser la question, personne n'a pu me renseigner sur l'endroit exact où ces gens ont vécu. Était-ce à Matane, à Mont-Joli, à Rimouski? Cette information s'est perdue, à l'instar de millions d'autres, dans l'espace-temps élastique où sombrent les vies non documentées. Ce qui est certain, c'est qu'ils possédaient une scierie dans le Bas-Saint-Laurent, les seuls Anglais riches de ces régions reculées étant propriétaires de scieries. Autre donnée incontestable, Catherine s'est souvenue d'eux jusqu'à sa mort. Il y a de quoi.

On est en novembre. Elle a fêté ses quatorze ans l'été précédent. Elle a beaucoup grandi, ses seins poussent, elle en est très fière, elle «promet», comme on dit, quoiqu'elle soit un peu maigre au goût de l'époque. Elle est vive, meneuse, pleine d'ambition et d'énergie. À la nouvelle que les Richardson comptent sur elle pour confectionner des vêtements, elle trépigne de joie pendant des heures. Les Richardson! Ils possèdent la plus grosse propriété des environs, des serviteurs, une maison qui mène grand train! Ils organisent des soirées, des banquets, des fêtes où se réunissent des gens de la classe supérieure!

Elle n'hésite pas une seconde à accepter, heureuse d'accéder au Saint des Saints, à la haute société, même par la porte de côté. Son statut de couturière prodige lui évite celui de servante ; au contraire, il lui vaut de monter en grade, de se préparer à tenir le haut du pavé dans la société. De plus, suprême distinction, les Richardson sont anglophones !

C'est ainsi que, vêtue de son unique jupe de lainage gris, de sa plus belle chemise de coton blanc et de son manteau marine, elle fait le trajet dans une voiture à cheval, avec un petit sac de voyage qui ne contient que le nécessaire : brosse à cheveux, robe de nuit, chaussettes, châle de laine et souliers plats. Faute d'avoir les moyens d'être élégante, elle est propre, très propre. Au surplus, elle a cette fierté de sentir bon, d'avoir la peau nette, les ongles taillés, les cheveux coiffés ; elle commence à savoir dompter son abondante crinière noire.

La voici, assise toute droite à côté du cocher. N'osant tourner la tête vers lui, elle l'observe du coin de l'œil. Il a à peu près trente ans, il est beau, elle a le cœur qui bat plus vite. Pourvu que sa pauvreté et son manque d'éducation ne paraissent pas ! Elle a appris qu'un couvert pouvait être monté avec de multiples fourchettes, couteaux et cuillers, mais elle serait très embêtée d'avoir à choisir l'ustensile approprié si par hasard elle y était obligée, et elle en a honte rien que d'y penser.

Les chevaux, couverts de leur poil d'hiver, s'engagent dans une entrée large, entretenue, bordée d'une haie, traversent un parc aménagé dont les plantes et les fleurs, noircies par le froid, sont écrasées sous une couche de neige molle et lourde. L'attelage s'arrête devant une immense maison en brique rouge, la plus grande qu'elle ait vue, dans laquelle elle ait eu l'occasion de pénétrer. Haute de trois étages, la bâtisse arbore deux jolies tourelles qui piquent fièrement le ciel de chaque côté du toit.

Catherine écarquille les yeux.

— C'est un château ! murmure-t-elle, extasiée, ce qui met le cocher en joie.

Comble de la propreté et du savoir-vivre, l'écurie est construite si loin de la maison que les odeurs de fumier ne peuvent pas s'y rendre.

Le conducteur arrête son attelage, saute à terre et lui tend une main gantée pour l'aider à descendre. À la fois intimidée et ravie, elle y blottit sa main. Elle gravit quelques marches en pierre et entre en ayant l'impression de flotter. Ce qu'elle aperçoit en premier, c'est un vaste escalier qui mène à l'étage et dont la rampe, magnifique, est en bois blond festonné. Trois portes doubles s'alignent autour du hall d'entrée. En plein centre du plafond, tout là-haut, un majestueux chandelier est suspendu. Superbe, étincelant, il est constitué d'innombrables morceaux de cristal taillé qui scintillent à la lumière du jour.

Interdite devant cette merveille dont elle n'a pas vu l'équivalent même à l'église, Catherine a la tête en l'air au moment où la porte de droite s'ouvre sur une femme à l'élégance recherchée, à la taille bien découpée, dont la robe de serge vert forêt, longue et seyante, est décorée d'un collet et de poignets de dentelle écrue.

— Il arrive d'Angleterre, annonce la dame sans se troubler, avec un accent anglais.

Catherine, soulagée que la châtelaine sache parler français, est honteuse d'avoir été prise en défaut : une jeune fille bien éduquée ne fixe ni les personnes ni les objets. Elle baisse la tête.

— Excusez-moi !

— Vous faites de la dentelle ?

Catherine hésite. Le collet de la robe de madame est d'un tel raffinement qu'elle a du mal à avouer son savoir rudimentaire.

— Un peu. Pas autant que je le voudrais.

— On vous apprendra. Pour l'instant, installez-vous. Demain, je vous dirai ce que j'attends de vous.

Et elle disparaît par les portes de gauche d'un pas mesuré.

Une vieille servante invite Catherine à la suivre dans les couloirs du deuxième, à l'arrière de la maison, et lui indique une petite chambre dont la fenêtre donne sur le boisé et l'écurie. C'est là qu'elle vivra les jours les plus agréables de sa vie.

Elle nage en plein bonheur. Toute cette beauté, ce raffinement, ce luxe l'étourdissent, la ravissent. Elle monte parfois
l'escalier pour caresser le bel érable blond verni de la rampe,
ou parcourt les pièces en enfilade juste pour le plaisir de
glisser sur les moquettes et les tapis moelleux, sur les par-
quets de chêne. Avant de couper la soie des robes, elle s'en
caresse la joue avec délices, ou empoigne les lainages fins
pour s'en repaître les mains, les doigts, les paumes. Seigneur, la douceur de ces étoffes ! Merci mon Dieu d'avoir
créé des tissus aussi... ragoûtants !

Et puis, tant qu'à y être, merci Seigneur d'avoir créé les
dentelles ! Elle s'extasie. Ah ! les dentelles ! Ce n'est pas
n'importe qui qui sait les crocheter ! Il faut des doigts agiles,
de la patience, de la vitesse et une bonne dose de créativité.
On ne trouve pas tout sur les patrons, et les encolures peuvent
être de dimensions fort différentes. Catherine jubile, exulte et
apprend à une vitesse incroyable.

Son expérience ne s'arrête pas là.

La couture est, de tous les métiers, celui qui permet d'accéder aux secrets du corps, de dévoiler les trucs et astuces
que chacun utilise pour mieux paraître. La dame de la maison, dans la quarantaine, est conforme aux standards de la
beauté de l'époque : charnue, elle a le dos droit, les seins
hauts, ballonnés par le corset, les poignets fins, les chevilles
également, qu'on découvre sous les multiples jupons quand
on s'agenouille pour marquer le bas de ses robes.

Catherine ressent d'abord pour elle du respect. Son port
digne, ses multiples et jolis dessous décorés de dentelle
commandent la déférence, celle qu'on accorde aux reines et
aux princesses.

Le temps de la déférence meurt — rien ne dure avec Catherine — et il est remplacé par celui de l'admiration, un
cran plus bas dans l'échelle des sentiments qu'un ouvrier
éprouve envers son patron. Madame porte à ravir tous les
vêtements qu'on lui confectionne. Une part du mérite — la
moitié au moins — revient à la couturière, qui ajuste tout

parfaitement, qui reprend les pinces et fixe les plis à la bonne place.

L'admiration cède bientôt le pas à l'envie. Catherine, qui observe tout avec lucidité, sait que son indigence ne l'empêche pas d'avoir des qualités comparables à celles de sa maîtresse et que, un jour, si elle est suffisamment habile, elle pourra occuper une place importante dans la société. Un examen de son propre corps lui enseigne, au surplus, que son ossature délicate supporte sans mal la comparaison avec celle de la châtelaine ; si elle en avait les moyens, elle serait aussi belle.

Un jour, madame lui offre un corset. Son premier corset. Confuse, intimidée, elle l'enfile. On tire les lacets dans son dos, on serre à l'étouffer, on attache. Sa taille s'affine, ses seins gonflent, son dos adopte une ligne courbe seyante, élégante. Elle passe un jupon, puis une robe de lainage léger, la première qu'elle se soit confectionnée, grâce au tissu que madame lui a donné. Elle se regarde dans le grand miroir de la salle de couture. Sa tournure est splendide. Elle avait raison, elle ressemble à madame. Elle esquisse quelques pas, éblouie. Elle a un port de reine. La voilà femme. Et belle. Et désirable, elle le voit dans les yeux du cocher le lendemain. Cela lui plaît et l'effraie. Désormais, elle se promet d'éviter les rencontres avec lui si elle se promène du côté des écuries. Un malheur est si vite arrivé !

Elle n'est pas au bout de ses expériences troublantes.

Elle ne coud pas les vestes d'homme ; par contre, elle confectionne les pantalons. Alors on lui en commande. Pour tous les mâles de la maison. Elle prend peur. Comment ajustera-t-elle les braguettes ? Ce n'est pas que ce soit difficile, au contraire, c'est d'une simplicité enfantine, mais derrière il y a le pénis, cet engin soigneusement caché, objet de sa dévorante curiosité. De quoi ce… machin a-t-il l'air lorsqu'il jaillit de la fente pour libérer les eaux du corps ? Est-ce qu'il se transforme comme le sexe des chevaux ou celui des chiens qu'elle a vus dans sa cour, pour faire ce dont on ne parle jamais ? Elle n'en sait absolument rien et s'en émeut jusqu'à en avoir des malaises. Elle n'a pas vu de sexe d'humain mâle, à part celui de son petit frère quand il était bébé.

Elle constate que ceux des hommes adultes — elle les devine quand elle fait les ajustements — sont mous, informes, qu'ils bougent tout seuls et surtout qu'ils adoptent diverses tailles pour des raisons nébuleuses. Elle les imagine plus longs que l'entrejambe, a peur de les piquer par mégarde. Elle préférerait qu'ils soient, comme ceux des femmes, à l'intérieur du corps, ce qui lui permettrait de réussir un beau devant de pantalon plat, sans bosse ni creux. Malgré tout, elle travaille sous les tailles masculines sans broncher, forte de la confiance inébranlable qu'un jour ces mystères lui seront révélés.

Est-elle fatiguée de coudre ? Elle se pointe à la cuisine. Gourmande, elle goûte aux plats, pose des questions, aide à la fabrication des potages et des rôtis. Elle s'initie à la préparation des volailles, du gibier, des poissons d'eau douce et d'eau salée. Et elle mange ; tout est si bon ! Elle s'arrondit. Bientôt, elle est en mesure de dresser les couverts selon les circonstances, de plier les serviettes de table et de déterminer où placer les convives ; là-dessus, elle n'aura plus honte de son ignorance.

Puis elle découvre les livres. Dans la bibliothèque, il y a un rayon complet de romans français. Avec la permission des maîtres, elle en choisit un et l'apporte dans sa chambre. C'est l'histoire d'un riche propriétaire qui devient éperdument amoureux d'une belle jeune fille sans fortune. Leurs amours sont contrariées par les parents du jeune homme, qui le destinent à un avenir prometteur. L'amoureuse abandonnée meurt de chagrin et Catherine, à la lueur de sa chandelle, pleure avec elle toutes les larmes de son corps. Elle se sent capable d'aimer à la folie, de sacrifier sa vie pour un être chéri, son cœur se soulève, son sexe se gonfle, elle soupire, un peu plus elle se pâmait. Elle vient de découvrir l'amour romantique.

Chez les Richardson, elle apprend tout ce qui l'intéressera. Vaisselle fine, porcelaine, services à thé, argenterie, nettoyage des taches, manières, élégance, couleurs de tentures appareillées à celles des fauteuils, meubles d'apparat, tapis de Perse, boiseries, chapeaux et étoffes.

Sa vie durant, fière de son savoir, elle déterminera ce qu'une personne doit porter ou non, de telle sorte que ses filles et petites-filles ont agréé ou subi, c'est selon, les remarques que, avec une absence totale de charité chrétienne, elle ne manquait pas de faire sur leurs toilettes.

Elle apprend également que si les riches ont de l'argent, c'est qu'ils font travailler les pauvres à qui, d'ailleurs, ils n'ont pas honte de disputer âprement le salaire, si bas soit-il. Elle en conclut que les riches ont plus de mérite : d'abord ils gardent leur argent, ensuite ils sont instruits, finalement ils parlent anglais.

Ah! l'anglais! Il faut croire qu'elle n'a pas d'oreille pour les langues parce que, malgré ces quelques semaines passées dans un environnement anglophone, elle n'en retient pas quatre mots. Elle acquiert néanmoins la conviction qu'il est la clef magique ouvrant la porte de la fortune, laquelle menace de lui échapper, puisqu'elle n'a pas dépassé la quatrième année à l'école.

Quand elle doit se réveiller de son rêve et retourner à Saint-Rémi, elle peut diriger une maison avec classe, s'habiller avec chic, décorer avec goût, recevoir avec distinction, s'exprimer avec tact et délicatesse, en somme, briller en société. Elle est mûre pour entreprendre sa croisade contre les laideurs et les manifestations de mauvais goût de ce monde. Bref, elle est devenue snob. Un tantinet.

En plus, elle est convaincue que, toute fille d'ouvrier qu'elle soit, un destin exceptionnel l'attend. Elle n'en a pas peur ; au contraire, elle a hâte de l'assumer.

C'est dans ces dispositions d'esprit qu'elle déménage avec toute sa famille à Saint-Norbert, où le moulin Fraser, propriété d'autres anglophones, a offert un emploi plus stable à son père, Adolphe.

4

Nous sommes en 1910. Le village de Saint-Norbert, où les Joncas déménagent, vient de fêter son dixième anniversaire. Malgré ce jeune âge, il est déjà le centre administratif de la région du Témiscouata — du nom de son lac le plus important —, en plein cœur du Bas-Saint-Laurent, à quelque soixante milles au sud de Saint-Rémi.

Dès sa fondation, le village a été divisé en deux parties inégales. Près du lac, réunies en un groupe compact, s'élèvent les habitations de la compagnie Fraser, toutes semblables, construites pour loger les ouvriers écossais protestants que l'entreprise a emmenés avec elle. Le noyau de ce territoire anglophone est constitué par l'église presbytérienne et le magasin de la compagnie, où les ouvriers échangent les bons reçus en guise de salaire contre de la nourriture et des fournitures élémentaires.

Du côté de la montagne est érigée la partie francophone du village, plus étendue, rassemblant des maisons de bois qui grimpent la pente douce d'une colline ronde, dodue. Au sommet s'élève une église dont le faîte est coiffé — oh combien original! — d'une statue de saint Norbert.

Au pied du village, le lac Témiscouata est enserré entre de vieilles montagnes usées, couvertes de conifères et d'essences de bois mou; long boa sinueux et paresseux, il ondule sur une distance étonnante. Son nom signifie, en langue malécite, «creux partout», et, durant mon enfance, on chuchotait qu'il était si profond que personne n'en avait atteint le fond, même avec des lignes lestées très lourdement. Il était même question qu'y vive un monstre épeurant, que personne n'a aperçu, il va sans dire. On y pêche une grosse truite grise appelée touladi ; ce n'est que dans ses affluents, rivières et rus rapides et brillants, qu'on attrape les petites truites arc-en-ciel ou mouchetées, les meilleures du monde selon grand-maman. De la grève du lac, on peut voir la montagne du Fourneau, la plus haute des environs qui, encore aujourd'hui, est sauvage et inhabitée.

Situé à proximité du fort Ingall — qui assurait la défense du Canada contre la menace d'invasion par les Américains —, le village se développe grâce à la construction du chemin de fer, destiné à remplacer l'antique Portage du Témiscouata, jusque-là unique voie de communication entre le Saint-Laurent et l'Atlantique. Il compte quelques rues importantes, sans trottoirs, comme c'est la façon à l'époque ; rien ne protège les bottines, les jupes et les manteaux de la boue et de la poussière du chemin. Au nombre de ces rues, il y a la Commerciale, le long de laquelle sont établis les magasins, et le Vieux Chemin qui, son nom l'indique, est plus vieux et strictement résidentiel. L'ensemble est agréable vu de loin, à cause des collines qui offrent à toutes les maisons du village ou presque une jolie perspective sur le lac. Chaque jour de mon enfance, j'ai eu droit à ce paysage invitant, paisible, sensuel.

À l'instar de Saint-Rémi, l'activité économique de Saint-Norbert tourne autour du bois. La terre est rocheuse, la saison de culture est courte et, pour survivre, il n'y a guère autre chose à faire que de bûcher ou de travailler au moulin.

Catherine, installée avec ses parents au bout du Vieux Chemin, reprend ses séjours de couture dans les villages avoisinants. Nulle part elle ne retrouvera le plaisir intense qu'elle a connu chez les Richardson, les maisons suivantes lui apparaissant fades, d'un goût douteux, d'une pauvreté désolante.

Après quelques années, elle se fatigue de besogner pour les siens, dont elle ne reçoit ni reconnaissance ni considération, et pour lesquels, en plus, elle confectionne des vêtements gratuitement. Pire, elle est la seule de toute sa tribu grouillante et chicanière à s'interroger sur son existence, sur son destin, sur la provenance et la raison des formidables différences entre elle et les autres. Isolée, elle aspire à se libérer de ses obligations et à diriger sa propre maison. En somme — c'est ce que lui affirme sa mère lorsqu'elle l'entend soupirer —, il est temps qu'elle se marie.

— Ça va t'occuper la jarnigoine !

Se marier, elle n'a rien contre, la question est de trouver avec qui. Elle ne veut pas d'un habitant, la terre est trop maigre. Un ouvrier ? Dieu sait qu'ils n'ont aucune instruction et qu'ils se salissent à l'ouvrage. En son for intérieur, elle rêve d'épouser un homme instruit. C'est connu, une épouse plaisante, élégante, aimable et informée concourt à améliorer la réputation d'un notable. Or, Catherine est tout cela, même si ses sœurs estiment qu'elle se conduit comme une oie, à s'étirer le cou pour avoir la tête plus haut perchée que les autres oiseaux de la basse-cour. Pour son malheur, on ne compte en tout et pour tout que quatre notables à Saint-Norbert : le notaire, l'avocat, le comptable et le caissier de la banque, et ils sont mariés.

Plus les jours passent, plus ses parents et leur état d'esprit rétrécissent à ses yeux. Elle voudrait s'éloigner pour de vrai, prendre ses aises, voir du pays, voyager loin, mais ce n'est pas permis aux filles. Et sa curiosité, sa dévorante curiosité mêlée de peur vis-à-vis des hommes, de l'amour et des relations maritales la titille autant que ses désirs de voyage.

Elle coud, inlassable, fière, dé au doigt, petit point après petit point, et elle rêve de s'extirper de son milieu, de s'élever dans l'échelle sociale grâce à ses divers talents. Malgré son peu d'instruction, elle cultive un intérêt réel pour l'écriture et la littérature, sans pouvoir assouvir sa faim ; tout ce qu'on lui permet, c'est d'écrire les lettres de la maison, et les seuls livres auxquels elle a accès sont des romans d'amour et l'*Almanach du peuple*. Il lui semble pourtant qu'elle est une âme délicate, sensible, que son cœur est une fleur que son époux n'aura qu'à cueillir pour embaumer sa maison d'une odeur suave d'amour et de paix. Son cœur palpite et, omettant d'accorder de l'importance au repli laid, honteux et malpropre entre ses jambes, elle imagine que l'exaltation amoureuse emportera son âme vers des sommets inégalés.

Dans son calepin, elle recopie les poèmes qu'elle trouve dans les almanachs et se les répète, les yeux pleins d'eau, avant de s'endormir. En plus, elle sait rimer. Elle ne s'en vante pas, elle garde cette richesse pour ne la révéler qu'à l'élu de son âme.

Le chant de la balançoire
Te souviens-tu de ce jour tant aimé
Où tout tremblait je te fis mes aveux
Tu te berçais dans un arbre fleuri
Et tout mon cœur d'amour était ravi
Mon ange aimé, je n'ai pas oublié
Ce souvenir dans mon âme est gravé
21 juin 1913

Écrire des poèmes ne guérit pas son cœur chagriné d'être étrangère parmi les siens, rejetée de sa nichée. Alors pour se faire accepter, elle s'exerce à mater sa forte personnalité, à être modeste et gentille, à baisser les yeux. C'est de cette façon que les héroïnes se rendent dignes d'amour car, lit-on dans ses romans, la véritable beauté, loin d'être extérieure, est un mélange d'humilité et de dévouement profonds et sincères.

Ah ! Ce sourire qu'elle a quand elle accueille des gens, ce charme, cette netteté dans l'apparence — les genoux ensemble, le dos droit, la tête qui s'incline et l'œil coquin qui vous regarde en coin —, cet art de laisser parler les invités, les hommes surtout, de les approuver, de les questionner pour qu'ils se sentent mis en valeur, tout cela prouve qu'elle sait obéir aux règles les plus difficiles et qu'elle maîtrise l'art de dissimuler son impétuosité avec talent.

Elle a trop de tempérament pour que le masque tienne longtemps, mais cela appartient à la suite de l'histoire. Pour l'instant, elle a dix-sept ans, elle s'entraîne à la réserve et y réussit jusqu'à croire à son propre mensonge. Période bénie! À côté d'elle, sa mère et ses sœurs sont des laiderons mal éduqués dont l'unique mérite est d'avoir de la santé.

Entre les soupirs et le travail, les rêves et la dure réalité, le temps passe. À la vitesse de la tortue, de la limace. Elle a tout le loisir d'observer les gens d'un œil perspicace. Le curé est falot et mauvais prédicateur, Albertine rêve à longueur de jour — on la retrouvera sous le sabot d'un cheval si elle ne vérifie pas à droite et à gauche avant de traverser la rue —, Adrienne manque de jugement, Cécilia est pire avec sa tête folle, Lionel est gâté pourri parce qu'il est si beau qu'on ne peut s'empêcher de lui donner de gros becs sonores, Philomène n'a aucune imagination et Adolphe, ce cher papa, est trop mou, on ne sait pas ce qu'il pense, ce qui est à la fois rassurant et menaçant.

Catherine, pour remplir le vide autour d'elle, affirme à tout venant ce qu'il faut être, faire, prévoir, supputer et imiter. Sans soutien ni encouragement de nulle part, elle bat l'air de ses grands bras vides.

Qui la libérera de son emprisonnement?

5

Si les Joncas ne sont pas légion à Saint-Norbert — ni dans la région, d'ailleurs —, les Pelletier, par contre, constituent presque la moitié de la population du village. Ils sont répartis en plusieurs familles. Celle d'Éphrem, mon ancêtre, compte dix garçons et six filles. Sa femme, Léontine, est aussi une Pelletier issue de la lignée de Jean, originaire du Perche, débarqué en terre canadienne en 1645, mais cinq générations les séparent du cousinage immédiat. Les premiers descendants de Jean avaient établi leur fief dans les belles et bonnes terres de Saint-Roch-des-Aulnaies ; quelques années plus tard, ils se sont multipliés au point qu'ils doivent se répandre dans toute la province, surtout en direction de la Gaspésie, trajet naturel pour des voyageurs.

Mon arrière-grand-père Éphrem, lui, est né à Kamouraska, au bord du fleuve. Sept générations après son ancêtre Jean, il travaille sur la machine-outil du moulin Fraser, à équarrir et à sculpter les troncs d'arbre. Ses enfants sont plus âgés que ceux des Joncas, l'aîné ayant au moins quarante ans alors que Catherine en a dix-huit. Ses fils sont débrouillards, ils aiment le commerce ; malgré leur manque d'instruction, ils savent compter, c'est leur trait commun le plus remarquable.

L'un d'eux est blond, d'allure agréable, droit de stature ; il a une tête ronde, des traits réguliers, le nez étroit et des dents courtes et égales. C'est un beau spécimen de la gent masculine. Il s'appelle Camille.

Au moment où Catherine arrive à Saint-Norbert, Camille est marié à Henriette Bérubé, qui lui a pondu deux enfants et s'apprête à lui en fabriquer un troisième. Courageuse Henriette. C'est que les Pelletier aiment les femmes. Et l'amour. C'est leur deuxième point commun, aussi notoire que le précédent. Ils apprécient les belles croupes à l'égal des beaux visages et expriment volontiers leur goût pour les parties de jambes en l'air. À cause de cela, ils sont talonnés par monsieur le curé, qui veille à ce que tout se déroule dans les règles de notre mère la sainte Église, c'est-à-dire à ce que l'œuvre de chair ne soit consommée qu'en mariage seulement.

Les choses seraient restées ainsi et rien de ce que je raconte n'aurait existé, ni moi non plus, si la Mort n'était pas passée par là un soir où elle fauchait au hasard, selon son habitude.

C'est Henriette qui tomba. L'aimante, douce, sensible et attentionnée épouse de Camille dut abandonner ses trois jeunes enfants dans ce monde ingrat. Cela rendit sa mort infiniment triste. Durant son agonie, elle s'inquiéta tant de ses petits qu'elle promit de tout faire, là où volerait son âme tendre, pour veiller sur eux.

Sa femme disparue, Camille se retrouve seul pour tenir son magasin et élever ses trois marmots, dont un, le dernier, est de santé fragile, cadeau de sa mère sans doute. La famille d'Henriette offre de recueillir celui-là, appelé Louis, et Camille accepte, il n'a pas le choix.

Je l'imagine veuf, avec Georges et Lydia, ses deux bambins, qui lui courent autour des jambes dans le magasin général, entre les bottes en caoutchouc, les sacs de cassonade et les monceaux de bananes, et à l'étage de sa maison, dans la cuisine et les chambres. Une voix manque, celle qui ramène les enfants à l'ordre ; un geste est absent, celui qui l'invite à s'asseoir à table ; une place est vide, celle dans le lit, à côté de lui. La clientèle le distrait de sa solitude, c'est certain, sauf qu'un magasin n'est pas l'endroit idéal pour élever une famille.

Sans hésiter, il se met à la recherche d'une nouvelle épouse. Au début du vingtième siècle, on se marie rapidement, on se remarie de même ; on ne s'attarde pas à méditer sur son deuil, à se chagriner, à pleurer, il y a trop de travail à abattre, trop peu de futur devant soi.

Dans sa tête simple d'homme tranquille, il réfléchit. Il a rencontré Catherine à maintes reprises sur le perron de l'église après la messe — c'est là que la vie sociale s'organise —, il éprouve de l'attirance pour elle, pourquoi s'aventurerait-il ailleurs ? Elle est belle, en santé, habile, solide, souriante, elle sera une épouse et une mère de famille pleine de qualités. En plus, elle est appétissante avec ses rondeurs. Et elle est jeune et vierge, ce qui n'est pas à dédaigner dans une vie d'homme ; ça ajoute à l'intérêt, ça entretient la jeunesse, l'allant et l'excitation ; la vie, en somme.

Il ne prend pas le temps de la fréquenter ; pas besoin, elle lui fait bonne figure quand elle le rencontre, c'est suffisant. Un dimanche d'automne, il enfile son costume neuf, son paletot, son chapeau et ses gants, laisse les enfants chez sa mère, Léontine, se rend chez les Joncas et demande la main de Catherine à ses parents pendant qu'elle attend sur la galerie.

Il repart sans avoir reçu de réponse ; Adolphe et Philomène sont incapables d'imposer quoi que ce soit à leur aînée. Elle a une trop forte tête. Il faut qu'elle accepte elle-même, sinon c'est inutile.

Elle hésite. Est-ce par coquetterie ? Elle a appris les bonnes manières, elle sait qu'il faut susciter le désir un brin. A-t-elle peur du mariage ? De Camille ? Des enfants qu'il a à charge ? Non. Ce qui la met en émoi, c'est la perspective que ses rêves se réalisent. On ne voit pas surgir en face de soi une fée avec sa baguette sans se méfier. C'est trop beau pour être vrai. Ça doit cacher quelque chose de pas catholique, de pas ordinaire. Et puis ce sera sûrement suivi d'une déception équivalente. L'un ne va pas sans l'autre et, quand on est heureux, on devrait faire attention parce qu'on sera malheureux le lendemain. Et ainsi de suite.

Mais qui est Camille ? Auprès de qui s'informer de son caractère et de ses mœurs ? La rumeur publique le dit honnête, travaillant et respectueux de sa parole. Il ne sera pas courailleux, c'est ça de pris. Il assiste à la messe dominicale — comment pourrait-il agir différemment ? —, on le voit à confesse avant Noël et Pâques, et ses parents sont d'honnêtes citoyens, trois points en sa faveur. Non, ce n'est pas un notable, sauf que, comme commerçant, il a bonne réputation. Ses affaires marchent rondement, paraît-il ; il a eu l'idée d'ouvrir un magasin général adossé au village Fraser, en plein cœur de la rue Commerciale, cela signifie qu'il a du flair. Les ouvriers du moulin sont certainement des clients fidèles.

Catherine suppute, Philomène s'impatiente. Catherine tergiverse et Philomène la harangue. On ne fait pas attendre ce parti-là, c'est lui manquer de respect, c'est être trop orgueilleuse, elle risque de rater une occasion unique ! Camille a de l'argent. Camille a une maison. Camille a un commerce. Il est plus vieux ? Ça devrait lui inspirer confiance : au moins, il saura de quelle façon se comporter au lit le soir des noces.

— Il faut que c't'affaire-là soit ben partie, ma fille !

Et Catherine, bavarde sur tous les autres sujets, de demeurer silencieuse sur celui-là ; elle est incapable de parler de sexe. Et d'hésiter encore, pour la forme. Et d'attendre de tomber amoureuse. Elle ne conçoit pas sa vie autrement. Elle serait incapable de donner son corps qu'elle aime à un homme qu'elle n'aime pas, pour lequel elle n'éprouve pas l'élan irrépressible qu'on décrit dans ses livres. Et Philomène d'asséner son argument le plus fort, le moins contestable :

— Il est beau ! Marie-le donc !

C'est vrai. Il a les yeux bleus, les cheveux blonds, le teint pâle, c'est un puissant contraste avec elle, noiraude aux yeux noirs ; le mélange devrait produire des enfants magnifiques. Elle le constate, elle qui aime tout ce qui est beau.

Et elle tombe amoureuse. Il est proportionné, il porte à merveille les habits propres, le jour de la grande demande, il avait si fière allure ; avec son chapeau et ses gants, il avait l'air d'un vrai monsieur. Et il l'a choisie, elle ! Il l'a remarquée. Il la veut. Il la trouve jolie. Catherine respire un bon coup, sa poitrine se gonfle, son cœur palpite, elle a déniché l'homme de sa vie.

Oui, elle deviendra sa femme, elle créera un univers pour eux deux, pardon, eux quatre — ne pas oublier ses deux enfants —, il sera fier d'elle, elle demeurera gracieuse toute sa vie, elle agrémentera leur quotidien, autour d'elle on admirera, on enviera leur couple. Son cœur sera ouvert, disponible. Elle saura devancer ses désirs et les satisfaire, elle se montrera exemplaire d'affabilité et de gentillesse. En revanche, elle aspire à recevoir de lui le soutien dont elle a manqué jusqu'à présent, la compréhension dont elle a été privée.

Pour diriger une maison, elle se sent des forces à perpétuité, une vitalité impétueuse, une énergie débordante. Le monde est vaste et, même s'ils habitent un patelin perdu parmi les épinettes, ils mèneront une existence riche, fructueuse, pleine d'apprentissages et de mérites. Ce mariage, c'est la plus belle possibilité d'épanouissement qui lui ait été offerte, elle en rêve et elle le veut, c'est là que l'amènent ses réflexions, c'est ce qui la pousse à accepter.

Dès son consentement, tout se déroule à une vitesse folle. Pourquoi attendre l'été ? Un homme de trente et un ans qui a charge de famille et d'un magasin n'a pas d'énergie à perdre en fréquentations. Catherine se presse de se coudre une robe pour la circonstance. Modeste, la tenue, mais très jolie, seyante, dansante. Et rose pâle. Avec ses cheveux de jais, elle a l'éclat, la beauté sombre et fière… d'une sauvagesse.

En février 1914, quelques mois avant qu'éclate la Première Guerre mondiale, Catherine Joncas épouse Camille Pelletier. Ils sont tous deux de confession catholique. Elle a dix-huit ans ; lui, trente et un. Ils sont pleins d'espoir, c'est un bon mariage, leurs familles l'approuvent, ils sont bien assortis, ils feront de beaux enfants.

Ni l'un ni l'autre ne sait alors quel enfer deviendra leur vie.

6

Quand elle déblatérait sur son mariage, Catherine ne faisait de quartier à personne. Elle en voulait à tous ceux qui y avaient été impliqués, du curé et des servants de messe qui l'avaient célébré, jusqu'à son frère et ses sœurs qui y étaient allés, sans oublier ses parents qui le lui avaient conseillé. Celui qu'elle épargnait le moins était son beau-père, le ci-devant Éphrem, père de seize enfants, qui devait avoir au moins soixante ans à ce moment-là. Dans son cas, elle en avait plus long à dire :

— Le vicieux ! Un peu plus et il s'assoyait au bout du lit pour assister à mon dépucelage !

Ou bien :

— Il a couché dans notre chambre, le cochon !

J'ai aussi entendu :

— L'écœurant avait mis des journaux sous le matelas pour entendre tout ce qui se passait !

Je ne l'ai jamais crue, c'était trop drôle, trop invraisemblable. Elle aurait passé sa nuit de noces chez les parents de Camille alors qu'il possédait sa propre maison, située juste à côté ? Peu probable. De deux choses l'une : ou sa rage et son imagination ont embrouillé ses souvenirs, ou elle a saisi l'occasion de noircir toute la famille de Camille.

Peu importe, quand il s'agit de son mariage, Catherine n'est pas avare de versions différentes. Aux uns, elle raconte qu'il s'est déroulé à Saint-Norbert, aux autres, à Saint-Rémi. C'est inouï, cela aussi. Elle se serait rendue au bord du fleuve en plein hiver, dans un traîneau à cheval, quand il y a une église et un curé à Saint-Norbert et que toute sa famille y habite ? J'en doute, j'en doute, et les registres ont brûlé depuis.

Moi je crois qu'ils ont convolé dans la toute nouvelle église de Saint-Norbert, que la cérémonie n'a pas été très élaborée — après tout, ce n'était qu'un remariage — et que Catherine l'a beaucoup appréciée. En plus, elle qui aime s'amuser n'a pas accepté que sa noce soit célébrée dans un placard. La bénédiction a donc été suivie d'une fête pendant laquelle on a dansé — les époux ont même dû valser abondamment, elle est excellente danseuse —, après quoi tout le monde s'est couché avec un petit verre dans le nez, comme il est de mise dans ces circonstances.

Pour ce qui est du dépucelage, de la défloration, appelez cela comme vous voulez, il eut certainement lieu ce soir-là, c'est l'élément invariable dans les diverses versions de cette histoire. En veuf de trente et un ans qui a envie de l'amour et de sa femme, Camille n'a pas attendu trois jours pour la posséder.

Dans la chambre glaciale à cause de l'hiver, il a vite plongé sous les draps. Il porte son sous-vêtement qui, le couvrant de la tête aux pieds, s'ouvre sous la taille par une braguette, et à l'arrière, par un pan qu'il rabaisse pour aller à la selle. Poétique, non ? Pour ajouter à l'atmosphère, une chandelle allumée, un bassin et une cruche d'eau sont posés sur la table de chevet.

Catherine n'a pas osé le regarder pendant qu'il se débarrassait de son pantalon, elle l'a cependant entendu bondir dans le lit, qui a craqué ; lui, pas gêné, l'observe lorsqu'elle se déshabille. Intimidée, sa robe enlevée, elle a besoin d'aide pour délacer son corset. Du fond du lit, il l'invite :

— Approche !

À moitié confuse, elle s'avance et lui tourne le dos. Il dénoue les lacets d'une main experte. Elle sent son corset glisser sur ses reins et se presse de s'éloigner pour se soustraire aux mains de Camille qui veulent fureter plus loin. Elle ne porte plus qu'un petit jupon court, elle a les jambes et les bras découverts, elle se sent impudique, elle voudrait se cacher, derrière un paravent par exemple ; mauvaise idée, il n'y en a pas.

Une fois en robe de nuit, collet et poignets boutonnés, elle s'allonge, inquiète. Il tend la main. Par-dessus le tissu, il lui palpe un sein, puis l'autre, comme pour vérifier qu'ils sont réels. Puis se faufile sous les draps jusqu'à ses pieds et s'affaire à remonter la longue robe de nuit pour lui dénuder les jambes. Elle proteste :

— Aïe !

— Laisse-toi faire, souffle-t-il d'une voix assourdie par les couvertures.

Il la découvre jusqu'au ventre, constate qu'elle a gardé sa petite culotte et la lui enlève, en soulevant ses fesses.

Il grimpe sur elle.

Elle sent quelque chose de dur contre son ventre. Le pénis, elle en a la certitude. Ah bon ! Il est pareil à celui des chevaux et des chiens : il se gonfle et devient rigide. Un mystère d'éclairci.

Il ne va pas… Oui, il va ! Il lui écarte les jambes d'une main ferme, elle offre un peu de résistance, surprise par sa rapidité.

— Laisse-toi faire, répète-t-il, d'un ton plus pressant.

Il enfile ce gros objet dans le repli honteux entre ses jambes et le distend ; maladroit, il s'y cherche une place, finit par la trouver et s'y insérer péniblement. Il pousse, pousse, elle a mal, les secousses montent jusqu'à sa gorge et lui donnent une vague envie de vomir, le lit branle et craque à chacun de ses coups de reins. Elle a l'impression que la maison, la rue, le village entier entend ces craquements effrénés. Il insiste et force tant qu'il déchire la barrière qui le retenait.

— Han ! émet-il dans un soupir sonore en s'enfonçant en elle.

Son mouvement de va-et-vient reprend, s'accélère, elle a mal, elle grimace dans l'obscurité, elle ramène ses bras et les appuie contre lui pour qu'il se relève parce qu'elle se sent étouffée; il arque le dos sous sa pression, ce qui lui permet de respirer enfin, et crie en s'immobilisant:

— Aaaaah!

Il s'écroule sur elle de tout son poids, lui comprimant à nouveau la cage thoracique. Dans le gargouillis de son bas-ventre, elle ne sent qu'une douleur humide, un échauffement aigu, qui s'apaise peu à peu. Quelques instants plus tard, il roule sur le lit à ses côtés et, en guise de caresse et peut-être de remerciement, lui frotte le bras de la main — collante — qui a servi à rentrer son pénis ramolli dans son froc.

— Tu vas saigner, l'informe-t-il sans émotion.

Elle se lève avec précipitation pour constater les dégâts; peine perdue, le souffle de Camille, pendant qu'il s'acharnait sur elle, a éteint la chandelle. Au toucher, elle constate que si sa belle robe de nuit a été épargnée, les draps ne l'ont pas été!

À tâtons, elle verse l'eau de la cruche dans le bassin, y trempe sa débarbouillette, s'essuie vaille que vaille, enlève le surplus de liquide sur le lit, puis se recouche en évitant l'endroit taché, mal à l'aise d'être encore sale.

Il s'endort et elle veille, stupéfaite. Elle vient de faire l'amour. C'est ça? Rien que ça? Elle, qui avait rêvé que son cœur se soulèverait, s'envolerait, planerait au-dessus des toits, est déconfite! Peut-être parce que c'est la première fois. Il faut bien qu'il y en ait une; c'est normal qu'elle ait un peu mal.

C'est normal.

Elle aurait aimé voir son pénis, c'est un désir impur, elle en est certaine, c'est un péché. Mortel ou véniel? Mortel si elle n'était pas mariée, mais à présent qu'elle l'est... Il faudra qu'elle pose la question au curé. N'empêche, elle aurait voulu qu'il le lui montre.

Elle se promet de tout examiner. Elle commettra les péchés, s'en confessera et fera pénitence ; tant pis, au moins elle saura. Il y a des limites à être ignorante, dans cette matière-là comme dans les autres. Pas un instant, elle ne songe qu'en contrepartie elle devra aussi se montrer nue. Ce serait suffisant pour la tenir éveillée jusqu'au matin du millième anniversaire de ses noces. Elle s'endort sur le dos, raide, avec la pensée de laver son drap le lendemain.

Plusieurs années plus tard, elle recopie ce poème dans son cahier personnel.

Valse nuptiale
Les époux ont fermé la chambre nuptiale.
Enfin seuls, c'est le doux moment.
Madame est rouge et monsieur pâle,
Ils se parlent bas sérieusement,
Leurs cœurs battent à se briser
Et, dans un doux bruit de baiser,
L'épouse déjà presque mise
Fait cette prière ingénue :
Oui je t'aime, mais quand même,
Mon chéri mon époux,
J'ai bien peur
Quand tu frôles mes épaules.
Une angoisse m'étreint le cœur.
Vois, je tremble. Tout ensemble,
Essayons de dormir seulement.
Je t'implore, pas encore,
Sois gentil
Pas ce soir, laisse-moi.
Son époux presque lourd
Dans une douce étreinte
Cueille la fleur d'amour.
Et madame toute vermeille
Le matin lui dit à l'oreille
En ouvrant ses yeux de velours :

Nuit exquise, tu m'as prise
Laisse-moi me blottir dans tes bras,
Je suis femme, prends mon âme
Fais de moi ce que tu voudras,
Je suis tienne, une chaîne
Nous unit, de ton cœur à mon cœur.
Et revivre dans la vie
Je n'aurais qu'un désir, ton bonheur.
(auteur inconnu)

7

Les premiers jours de mariage passés, la chose sexuelle devenue pratique quotidienne moins douloureuse, moins désagréable, Catherine mène des expériences sur d'autres fronts.

Elle prend beaucoup de plaisir à s'installer. Grande, grande, la maison de Camille. Elle a l'impression exaltante de régner sur un domaine, de gouverner un lieu à sa mesure. Elle parcourt les pièces de long en large, se réjouissant de leurs dimensions, elle décore, changeant les tentures, recouvrant les meubles. Des clientes commandent-elles des robes ? Elle les confectionne. Camille va-t-il visiter les chantiers pour proposer sa marchandise aux bûcherons ? C'est elle qui gère le magasin.

Henriette, la défunte épouse qui s'est éteinte avec l'intention d'aider ses petits, lui révèle où sont rangés les objets qu'elle cherche. Veut-elle les linges à vaisselle de rechange ou les beaux oreillers ? Durant ses rêves, Henriette lui indique le placard où les dénicher, la tablette où ils sont pliés.

Des fenêtres de l'étage, le rez-de-chaussée étant occupé par le magasin, elle observe l'activité dans la rue Commerciale à l'avant ou, à l'arrière, dans le village Fraser. Curieux, ce village Fraser. Les ouvriers sont payés en bons qu'ils ne peuvent échanger qu'au magasin de la compagnie. Ils ne deviendront pas clients chez Camille, à moins de protester, ce qu'ils commencent à faire, paraît-il, mais elle ne peut pas vérifier, étant incapable de leur adresser la parole dans leur langue. En plus, ils ont leur propre église, protestante, à trois cents pieds de chez elle. Elle en frémit ! Elle mange, marche et prie à côté de gens qui brûleront éternellement dans l'enfer païen ! Elle les plaint d'être voués à un si grand malheur et de ne pas s'en soucier ! Par ailleurs, elle les envie ; ils ne semblent obligés ni de se confesser ni de mettre des enfants au monde une fois par année. Tant mieux, les Anglais sont assez nombreux à se partager la richesse, qui devrait, pour que justice soit rendue, déménager un peu du côté des francophones. Pour l'instant, la donne est inégale ; ils possèdent tous les moulins des environs, et les Canadiens français, aucun !

La vie la bouscule. Elle n'a pas le loisir d'apprivoiser Georges et Lydia, les marmots de Camille, que les ébats conjugaux produisent leur effet et qu'elle attend un enfant.

À l'exemple des femmes de son temps, elle cache ses grossesses. Sous son corset, bien en chair comme elle est, rien ne paraît. Il n'y a que le beau-père Éphrem qui a le culot de l'annoncer à toute sa famille réunie pour Noël. Et, pour ajouter l'insulte à l'outrage, d'asseoir Catherine sur ses genoux et de caresser son ventre arrondi pendant qu'elle rougit de honte. Cinquante ans plus tard, elle ne lui aura pas pardonné.

Son premier enfant, Régis, passe dix mois en elle, c'est du moins ce qu'elle a calculé. A-t-on déjà vu un être résister autant à l'appel du jour ? Avant l'accouchement, elle a beau être courageuse, elle a peur. Tant de femmes meurent en couches. Alors elle prie : « Mon Seigneur Dieu des armées, vous avez déjà éprouvé Camille une fois en lui enlevant Henriette, ça suffit ! Soyez un peu clément ! Gardez-moi la vie sauve ! »

S'il exauce sa prière, le Tout-Puissant, en revanche, ne gaspille pas sa bonté à lui faciliter la tâche.

À l'époque, on accouche à la maison, on hurle sa douleur dans les oreilles d'un médecin devant qui on ouvre les jambes et qui touche nos parties intimes. Rien que ça a dû la faire pâtir. L'amas de poils et de chair rose au centre de son corps est une caverne sombre et mauvaise, elle est effarée qu'un étranger s'arroge le droit d'y jeter un œil, même pour l'enfantement.

Elle a l'ossature petite, le bassin étroit, et le bébé pèse dix livres. Elle aurait souhaité que tout puisse se produire en pensée, mais elle doit lutter pour le sortir de son ventre. Elle force et pousse en détournant la tête, en souhaitant que ça finisse au plus tôt ; elle a hâte de rabattre ses couvertures, de fermer le rideau sur le spectacle qu'elle est obligée de donner au docteur. Et que ça achève, et que ça se termine, et que ça aboutisse !

Le travail dure plusieurs heures. À la fin, elle a épuisé son répertoire de prières et elle est obligée d'inventer. C'est à ce moment qu'elle lance ses premières impiétés, certaine que Dieu, occupé à se repaître de toutes les supplications qu'elle a déversées sur lui, ne les entendra pas. Elle en éprouve du plaisir, si tant est qu'on puisse avoir du plaisir dans une situation semblable. Ce qui se passe est si loin de ce qu'elle avait imaginé, si distant des frontières de l'acceptable que, tant qu'à y être, elle en profite pour faire sauter quelques autres limites. Ainsi, elle s'initie à la fois à la souffrance de la mise bas et à la joie impie de proférer des jurons.

L'enfant paru, sa bonne volonté reprend le dessus. Cette expérience bouleversante la plonge dans ce qu'elle a de plus tendre en elle.

La plus belle heure de ma vie
On me mit dans les bras un tout petit être rose
fraîchement baptisé,
portant le nom depuis longtemps choisi à deux ;
l'âme débordante de tendresse et d'amour maternel,
je contemplai ce petit être mystérieux.
Et ce fut là,
quand par un baiser l'époux chéri vint me remercier
de la naissance d'un premier bébé,
que je vécus la plus jolie, la plus délicieuse heure

de toute mon existence.
Heure bénie que rien au monde ne me fera oublier.
Catherine Joncas-Pelletier
30 janvier 1916

Ceux qui ont connu la Catherine des dernières années auront du mal à croire que c'est elle qui a écrit ce poème. Et pourtant je le lis là, dans son cahier personnel, jauni, élimé. Les phrases sont tracées de son écriture franche, sophistiquée, les lettres sont raboudinées à la fin des lignes et les noms des parrain et marraine de Régis sont ajoutés à côté de celui du bébé.

Elle a dix-neuf ans et trois enfants à sa charge. Heureusement qu'elle les aime. Caresser une chair rose, chaude et dodue, la mordiller sans éprouver de culpabilité, est pour elle un sommet de bonheur. Elle câline Régis plus qu'elle ne l'a jamais fait pour son frère Lionel. Celui-là est à elle. Il est beau, éveillé, joufflu ; il serait parfait si ce n'était de ce petit tuyau mou sur son bas-ventre, qui pisse comme une fontaine quand elle a le dos tourné.

Elle est à peine remise de ses couches qu'une deuxième naissance s'annonce. Si elle avait eu le choix, elle aurait attendu, mais ni l'Église ni Camille ne le lui laissent, et elle n'a pas appris à dire non. Elle se cache encore ; c'est difficile, les derniers mois elle enfle de partout à cause de sa grossesse, de son embonpoint et de la rétention d'eau.

Si Régis, le premier-né, a le teint foncé de sa mère, Dorothée a la peau pâle de son père. Avec ses cheveux foncés et ses yeux noirs, elle a beaucoup d'éclat. Un an moins un jour sépare les enfants. Dorothée pèse dix livres à la naissance, elle aussi. Malgré les affres de l'accouchement, Catherine est heureuse d'avoir une fille qu'elle destine tout de suite à devenir son bras droit.

Elle continue à assumer seule la charge de la grande maison ; Camille est retenu au magasin et Henriette, qui a pu constater que sa remplaçante connaît le contenu exact de tous ses placards et tiroirs, l'a abandonnée. Qu'à cela ne tienne, les bébés dans les bras, elle cuisine, tricote, entretient le poêle, lave, repasse et coud les vêtements de toute la famille.

Un dimanche, elle est assise à pianoter et les enfants jouent autour d'elle. Camille la voit, la désire, la fait lever et veut l'honorer là, par-derrière, pendant qu'elle, surprise et choquée, met un instant pour comprendre ce qui lui arrive. Il essaie de s'introduire par la fente dans sa culotte, il en est incapable, les jupons relevés forment une masse trop épaisse pour la longueur de son pénis. Il tente de la pencher en avant; impossible, elle est coincée entre lui et le piano. Retrouvant ses sens, scandalisée, elle lui enjoint de se retenir, que les enfants sont là. Il s'entête; parti de si bon train, il ne peut plus s'arrêter, il jouit contre la culotte de coton de sa femme. Cela la dégoûte et elle l'exprime, il lui réplique qu'en tant que mari il a le droit de la monter quand bon lui semble. Elle, humiliée, se change en pleurant de dépit et jure de ne plus se rasseoir au piano le dimanche, pour éviter de revivre un semblable assaut.

Le désir de son mari, mystérieuse chimie dont elle est l'objet consentant, lui apparaît tout à coup être un mauvais caprice de la nature. Pourquoi Dieu, censé être miséricordieux pour toutes ses créatures, permet-il que cette envie surgisse à temps et à contretemps, même le jour?

Bientôt, elle est enceinte pour la troisième fois. Un an et demi séparera ses deuxième et troisième enfants. Tout un répit, si on songe à l'écart entre les deux premiers! Le bébé naît le 6 juillet 1918, un gros garçon que les époux appellent Auguste. Il a la tête et le visage ronds, un appétit insatiable et, sur les photos, dans les vêtements cousus par sa mère, identiques pour tous les enfants, on le reconnaît à cette belle tête en boule, sympathique, aux yeux amusés.

Sa tâche devenant trop lourde, Catherine engage une servante. Ainsi, elle pourra descendre plus souvent au magasin, qui réalise un meilleur chiffre d'affaires lorsqu'elle est là.

C'est elle qui a la bosse des affaires, et pas Camille, malgré ce qu'en pensent les gens ; elle s'en rend compte, l'attribue au hasard, ce qui lui évite de perdre la considération et l'admiration qu'elle éprouve pour lui. Car, avec ses vingt-deux ans et ses cinq enfants, qu'on se le dise, elle est encore amoureuse de lui.

8

En 1918, la Grande Guerre se termine et les soldats reviennent du front. Lionel était trop jeune pour être conscrit, et Camille, trop vieux ; en plus, il avait charge de famille. À Saint-Norbert, on sent très peu les effets de cette paix lointaine, sauf dans une de ses conséquences les plus destructrices, la grippe espagnole, ramenée par les soldats, terrible maladie qui se répand partout et atteint des gens de tous les âges.

Les médecins ne savent comment la soigner ; en guise de précaution et de remède, ils recommandent de boire un petit verre d'alcool — ce qui, au moins, réchauffe — ou de ne pas respirer dehors, parce que le microbe serait transporté par l'air. Le plus terrifiant, c'est que le décès survient en quelques heures, après un coma profond. Les morts sont mis en bière et enterrés au plus tôt pour prévenir la contagion.

Albertine, deuxième de la lignée des sœurs Joncas, la plus jolie, vient de fêter ses vingt ans. Elle contracte la grippe ravageuse et tombe dans le coma. Elle expire sans un mot après quelques jours de maladie. Catherine ne l'a pas visitée, de peur de contaminer ses enfants. On étend un drap blanc sur elle. On l'enterrera sitôt que le fossoyeur se présentera. Celui-ci étant occupé à récolter d'autres corps, il remet sa visite au lendemain. Entre-temps, les parents placent le corps de leur fille dans la remise, où il fait froid, pour éviter sa putréfaction trop rapide. Accablés de chagrin, ils pleurent, prient et craignent pour leur vie. Philomène se repent de sa méchanceté, Adolphe ne se rend pas au moulin. Ils se couchent, épuisés, trop abasourdis pour veiller le corps de leur enfant.

Le matin, surprise ! Albertine, la présumée morte, se réveille, frigorifiée. Le froid lui aurait rendu la vie, de la même façon qu'il l'a fait pour quelques malades. C'est un miracle, une bénédiction ! Pour remercier Dieu, Philomène promet de devenir bonne et Adolphe jure d'être patient avec sa femme ; lui seul tiendra parole. Leur fille a été diablement chanceuse. Il paraît que des gens qu'on avait tenus pour morts ont été enterrés, et que leur squelette a été retrouvé, plusieurs années après, retourné dans leur tombe.

Catherine, informée du miracle, pleure de soulagement sans cesser de s'inquiéter pour ses rejetons. Elle défend tout accès à son logis, et enjoint à Camille de ne toucher à personne, ce qui s'avère une consigne difficile à respecter, le magasin demeurant ouvert. Elle déteste l'ignorance de la science ; elle a compris, avant les pouvoirs publics, la relation de cause à effet entre propreté et santé, alors elle nettoie de peur que les microbes ne s'installent dans des coins mal entretenus et n'apportent la maladie, le mal et la mort.

L'épidémie ralentit, s'éteint, aucun nouveau cas de grippe ne se déclare et la vie normale reprend. Catherine, ayant sauvé sa maisonnée, retombe enceinte. Philibert naît en février 1920, dix-neuf mois après Auguste. Il imite ses deux frères et pisse en l'air, et elle, pour ne pas pécher, se retient d'observer les petits sexes de ses fils, objets curieux, informes, qui l'attirent et la dégoûtent à la fois. Tant de péchés peuvent être commis à cause de ces petites choses ; si elles étaient cachées, comme chez les filles, les corps de garçons seraient tellement plus beaux. L'œuvre de Dieu n'est pas sans défaut, malgré ce qu'en disent les prêtres !

Elle a maintenant quatre garçons et deux filles, en comptant les enfants nés du premier mariage de Camille. Pour une femme de vingt-trois ans, c'est beaucoup. Elle commence à être fatiguée de ces bébés qui se multiplient et de la tâche qui en découle; elle demande un temps d'arrêt. Camille le lui accorde, non sans mal. Son cinquième enfant naît donc deux ans plus tard. C'est une fille qu'elle appelle Maria. Cet accouchement est une histoire d'horreur.

Catherine sait qu'un médecin doit être d'une propreté impeccable durant ses interventions. Or, celui qui l'aide à mettre Maria au monde s'abstient non seulement de se laver les mains, mais il fume en plus un cigare qu'il ne quitte pas pour vérifier si le fœtus est engagé dans le col utérin. Un peu plus et la cendre tombait sur son sexe distendu. Après l'accouchement, peut-être à cause de la malpropreté de l'accoucheur, elle souffre d'un empoisonnement du sang.

Son répertoire de jurons doit s'enrichir pour qualifier correctement la conduite du médecin. Pendable, maudit cochon, ignorant, inculte, incompétent, bâtard, débile, idiot et avorton ne sont que les plus douces des épithètes qu'elle lui adresse. Dans son délire rageur, elle menace de le dénoncer aux autorités, tout en sachant que personne ne la croirait; les médecins sont membres d'un clan inattaquable, leurs patients n'ont qu'à les souffrir et à se faire traiter d'imbéciles.

Heureusement qu'elle a une énorme réserve de puissance, de santé. Elle se remet au bout de quelques mois. Pour découvrir que Maria, même si elle pesait treize livres à la naissance, a une faiblesse des os qui lui arque les jambes. Consulté, le médecin exécré lui recommande de les frictionner tous les jours avec de l'huile. Alors, en dépit de ses autres tâches, Catherine masse son bébé. Frotte et frotte et frictionne. Pendant des semaines. Une année entière. Et Maria se remet; elle aura les plus jolies jambes de toute la famille.

Le médecin fumeur de cigare a, malgré son manque d'hygiène, été suffisamment compétent pour prévenir Catherine contre une nouvelle grossesse. Son bassin est étroit, les naissances sont trop difficiles, trop rapprochées, et elle risque la mort à chaque accouchement; de plus, elle souffre d'insuffisance rénale.

Catherine et Camille adoptent donc la seule méthode de contrôle que l'Église leur permet, l'absence de relations sexuelles. De toute façon, Catherine commence à être frustrée du peu de satisfaction qu'elle en retire. C'est une femme qui a grand appétit pour la nourriture, les beaux objets, les vêtements de qualité. Et pour la tendresse. Une soif insatiable de chaleur, d'attouchements, de jouissances. Elle rêve que son mari la prend dans ses bras avec affection et elle en frissonne de tout son être. Elle espère de petits mots doux sur l'oreiller, des roucoulements sensuels, des rires complices. Elle fantasme qu'un jour elle se déshabillera tout entière en un geste provocateur dans la pénombre et qu'ils feront l'amour sans ces maudites robes de nuit qui lui enlèvent même la sensation de la température du corps. Elle voulait être transportée, soumise, subjuguée, envoûtée, elle réclamait un septième ciel, se serait contentée d'un cinquième, aurait accepté de mauvaise grâce un quatrième, mais rien de moins. Elle attend toujours. Camille ne se décide pas à l'assujettir par le plaisir, à lui procurer l'extase. Il n'essaie rien de neuf, n'a pas de tendresse, ne la touche, sans ménagement, que pour la pénétrer.

Sa frustration varie en intensité selon son cycle menstruel. Certains jours, elle est comme un arbre puissant qu'on n'arroserait pas, un feu qui, faute d'être circonscrit, envahit la forêt ; un monstre naît en elle, qui exige sa pitance avec âpreté. Elle fait des crises et s'isole au grenier pour pleurer, déprimer et tempêter. Il n'y a que le médecin pour l'apaiser. Deux jours après, elle redescend et reprend sa vie normale jusqu'au mois suivant.

À cette époque, elle ne parle pas de son désir constant. Ces choses-là ne se confient pas. Elle en ressent de la culpabilité. Elle a pensé que les gens plus vieux, son époux dans ce cas, savent plus et mieux, qu'ils apportent des explications valables aux énigmes de la vie. Elle s'est trompée. Camille ne se pose aucune question, il s'avère incapable de répondre à celles des autres. En plus, comportement impardonnable, il se satisfait de ce qu'il voit et de la vie qu'il mène.

Elle est déçue, il n'a pas la valeur qu'elle lui avait attribuée. Par contre, elle s'en veut de mal le juger et se reproche d'être trop exigeante. Elle souhaite demeurer amoureuse de lui. Elle le veut, sinon quel sens aura sa vie ?

Elle cesse de bouder et renouvelle ses tentatives pour transformer Camille, pour faire de lui un homme curieux, complice, étonnant. Il interprète cet intérêt comme des avances auxquelles il répond... par des avances. Catherine succombe et se retrouve grosse. Ce sera son sixième et dernier enfant.

Cette fois, elle a vraiment peur.

Elle enfle de partout et doit garder le lit, combattant son envie d'aider la servante qui ne suffit pas à abattre la besogne. C'est qu'il y a sept marmots à laver et à nourrir ; à cet âge, ils sont goinfres. Auguste aurait gobé des fèves au lard à six mois, paraît-il. Comment réussit-elle à passer à travers cette grossesse ? Elle ne s'en souvient pas.

Sa fille naît en septembre 1925 et ne pèse que huit livres. Catherine avait l'intention de l'appeler Colombe, sans doute par désir de blancheur, de pureté. Quand elle la voit, noiraude aux yeux foncés, pour éviter que la pauvre fasse rire d'elle toute sa vie, elle choisit plutôt de l'appeler Murielle ; et, parce qu'elle change difficilement d'idée, inscrit aussi le nom de Blanche sur le baptistaire.

Elle juge la petite maigrichonne, elle est certaine de la perdre. Alors elle défie la mort. Elle a trop souffert durant la grossesse et l'accouchement, elle ne veut pas que ce nourrisson retourne dans les limbes.

— On se déchire les entrailles pour les mettre au monde, c'est bien le moins qu'ils vivent !

Elle dorlote l'enfant, la soigne, la garde sur son ventre, la nourrit, murmure des mots doux à ses oreilles. Murielle survit, ce qui ne nous surprend guère aujourd'hui, mais qui a étonné Catherine. Elle se sentira redevable envers Dieu qui a enfin écouté une de ses prières. Il y a mis le temps, et aucune bonne volonté. N'empêche, elle essaiera d'être reconnaissante et réussira pendant un an ou deux à moins l'invectiver.

Le médecin lui ordonne de ne plus avoir d'enfants sous peine d'y laisser sa peau. Il fait la recommandation en présence de Camille, ce qui indique le sérieux de son pronostic. Évidemment, il ne recommande aucun contraceptif, c'est contre la religion. L'Église a une telle horreur du plaisir qu'elle ne le destine qu'à la procréation, et un tel dédain pour le corps de la femme que, si elle savait différencier les jours fertiles des autres, elle commanderait aux hommes de ne pratiquer le coït que durant ceux-là ; le reste du temps, les fidèles n'ont qu'à se faire un nœud là où vous savez.

Catherine est loin d'être fâchée de ce qui arrive. Elle commence à en avoir assez. En neuf ans de mariage, elle a eu six enfants, lave leurs couches, les soigne, les mouche, les habille, coud les robes, les pantalons et les manteaux, tricote les tuques, les foulards, les mitaines et les chaussettes. Sans parler de la nourriture et du ménage. Ni du service à la clientèle. En plus, elle est fière ; ses enfants ne sortent pas quand ils ont des vêtements sales.

Les grands-parents, Léontine et Éphrem, lui offrent leur aide ; elle refuse, hautaine.

— J'ai pas mis des enfants au monde pour que les voisins les élèvent !

À l'occasion, les petits échappent à sa surveillance et vont dévorer la tartine de mélasse grillée sur le poêle que Léontine leur offre à tout coup. Ils voient aussi l'oncle Hippolyte, frère de Camille, qui leur coupe les cheveux gratuitement. Pour cette visite-là, qui lui permet d'économiser quelques sous, Catherine est d'accord.

L'oncle Ernest, un autre frère de Camille, a épousé la douce Albertine, la sœur de Catherine qui a survécu à la grippe espagnole. La vie est injuste. Pour l'une, elle est prodigue, pour l'autre, elle est chiche. Albertine, qui n'a pas d'enfants, envie ceux de Catherine ; elle, en revanche, la jalouse d'être comblée dans les bras d'Ernest — du moins c'est l'impression qu'elle donne. En plus, Ernest est riche, ce que Camille n'est pas. En somme, personne n'est content.

Un jour, Catherine pique-nique avec des gens de Saint-Norbert. Elle décide de s'habiller à son aise. En pantalon, on peut allonger ses jambes sans craindre de montrer ses chevilles, ses genoux ou le reste, on peut s'asseoir par terre et être bien. Elle se fabrique un joli pantalon d'écuyer, des *breeches,* dit-on à l'époque, qui ont la cuisse plus large que le mollet. Et la voilà partie en compagnie de Camille et des huit enfants, tous habillés comme des cartes de mode par ses soins diligents.

Oh ! le scandale !

Un jeune curé vient d'arriver à Saint-Norbert. Il s'appelle Jean-Philippe Morneau, il est énergique, intelligent et se révèle déjà un prêcheur redoutable. Le dimanche suivant, il entreprend de faire sa fête à Catherine. C'est ignoble de constater qu'une certaine femme perd tout sens commun. Et la dignité de la fonction de mère commande qu'on y réfléchisse à deux fois avant de s'habiller en homme. Et si on veut inspirer le respect aux autres, il faut d'abord en avoir pour soi. Et la femme doit cacher son corps et porter une robe, qui est justement conçue pour ça, sans oublier de se repentir d'être la cause d'un scandale.

Le prédicateur est d'autant plus enflammé qu'il a, pour les femmes, un goût qu'il combat avec ardeur, selon les préceptes de sa religion et les obligations de sa prêtrise. Dieu et l'Église savent à quel point elles sont perverses et tentatrices ; c'est leur faute si l'homme a chuté, on l'a vu au paradis terrestre. Jésus-Christ lui-même les a repoussées, il n'en comptait aucune parmi ses apôtres, cela devrait suffire à convaincre les plus sceptiques de l'indignité rattachée à leur corps, incluse dans son essence, en quelque sorte.

Le curé Morneau est très jeune, il n'a pas eu le temps de devenir l'homme mesuré, philosophe et un tantinet amoureux de ma mère qu'il sera plus tard. Ce dimanche-là, il donne libre cours à son indignation. Pour la première mais non la dernière fois de sa vie, Catherine subit les conséquences de son avant-gardisme. Elle apprend que ce sont ceux qui sont en avant du peloton qui reçoivent les premières salves. Elle ne l'oubliera pas. Elle n'ira pas derrière, mais se bardera désormais de fer pour ne pas que les tirs lui crèvent le cœur.

9

Nous sommes en 1927.

Des huit enfants de Camille et Catherine, les trois derniers, Philibert, Maria et Murielle, restent à la maison, pendant que Georges, Lydia, Régis, Dorothée et Auguste fréquentent l'école. Tous les jours, ils se rendent, avec leurs sacs et leurs crayons bien taillés, au couvent des sœurs du Saint-Rosaire, à deux pas du magasin, où ils apprennent avec facilité.

Georges babille sans arrêt, il est charmant, belette et porté sur les détails ; Lydia est de santé fragile, elle ne peut pas aider beaucoup ; Régis est industrieux, il démonte les objets pour en découvrir le fonctionnement ; Dorothée est timide, mais elle possède un sens inné des responsabilités qui la porte à prendre soin des plus jeunes ; Auguste a toujours sa tête ronde, parle peu, regarde beaucoup et se cache sous la table aussitôt que sa mère crie ; Philibert est un clown, il se met sur la tête quand l'atmosphère est tendue, il pleure plus que les autres pour attirer l'attention plus que les autres. Murielle est la préférée de Catherine, c'est clair ; Maria, qui la précède, le sent et réagit en affrontant sa mère — c'est la championne du « non » toutes catégories : non pour descendre l'escalier ou le monter, pour se chausser ou se déchausser, et ainsi de suite ; elle n'y gagne que l'irritation de celle qu'elle voulait conquérir.

Les enfants n'ont pas tout ce qu'ils demandent, les parents n'en ont pas les moyens, sauf qu'ils mangent à leur faim. L'hiver, ils glissent en toboggan dans la côte juste en face du magasin ; ça ne coûte rien, la traîne sauvage est donnée par l'oncle Hippolyte. À la fin d'une descente, Philibert s'ouvre l'arcade sourcilière sur le trottoir de bois qui borde la rue — la Ville améliore ses infrastructures. Catherine l'accueille, fâchée.

— Pourquoi t'as pas fait attention ?

Ce qui donne à Philibert l'occasion de souffrir deux fois plutôt qu'une : d'abord à cause de sa blessure, ensuite parce qu'il s'en pense responsable.

De temps à autre, la famille pique-nique au lac Témiscouata. J'ai la photo d'une de ces escapades. Catherine est vêtue d'un maillot noir qui la couvre du cou aux genoux. Elle regarde l'objectif en penchant la tête de côté, minaude. Elle a un sourire moqueur, les yeux vifs, les cheveux enserrés par une boucle ; elle est assise sur les cailloux, jambes légèrement repliées. Une vraie ingénue. Une grosse ingénue. Ses yeux trahissent la jeunesse et la confiance, la jeunesse encore et une certaine image de soi pas désagréable. Rien, dans son attitude, ne révèle la femme forte qu'elle devient. Le bébé en maillot noir qui joue dans le sable à côté d'elle, c'est Murielle.

Les enfants ont peu de souvenirs heureux de cette époque. Ils sont isolés des autres membres de la famille qu'ils ne fréquentent pas, Catherine n'aimant ni les Pelletier ni les Joncas. Comme ils ont rarement l'occasion d'entendre des histoires intéressantes, ils se rappellent celle des chevaux de l'oncle Hippolyte devenu boulanger, qui revenaient à la maison quels que soient le temps et l'état de fatigue du conducteur. Malgré leurs demandes répétées, les petits n'ont pas la permission de flatter ces chevaux « malpropres » en raison du danger pour la santé que représente le crottin sur les souliers et les bottes.

Adolphe Joncas, le père de Catherine, meurt. Le doux, le bon Adolphe, qui sculptait des fléchettes dans des éclisses de bois de cèdre pour ses petits-fils, succombe à un cancer du pancréas. Une fin foudroyante, douloureuse. Lionel, son fils unique, son dernier-né, n'a que dix-sept ans. Catherine se sent orpheline. Elle ne sait pas si ses parents se sont aimés, n'ayant jamais été témoin d'une démonstration de tendresse entre eux ; elle n'aura plus l'occasion de percer ce mystère, sa mère malade, incapable d'expliquer quoi que ce soit, ne décolérant pas contre la Providence devenue sourde à ses prières.

Saint-Norbert ne grossit pas aussi vite qu'on l'aurait souhaité. Les ouvriers de la Fraser ne formeront pas une nouvelle clientèle ; leurs protestations ont été étouffées dans l'œuf, avec le résultat que leurs bons continueront à être échangés contre les fournitures de la compagnie. Le commerce de Camille ne progresse pas, il ne suffira plus bientôt à subvenir aux besoins de la famille. Camille est inquiet. En plus, la maison commence à être étroite, malgré ses dimensions imposantes ; l'agrandir, et du même coup augmenter la taille de l'établissement, serait inutile puisque la clientèle ne suivra pas.

De son côté, Catherine se sent prisonnière, réduite aux conversations enfantines. Elle n'a aucune confiance en Camille, trop conventionnel à son goût, pour l'éducation des enfants, elle en a donc pris charge. Ce qu'elle avait rêvé de partager devient sa seule responsabilité ; dans ces conditions, comment s'épanouir ? Elle aurait aimé voyager, découvrir les États-Unis, entre autres, et elle est immobilisée dans un petit village loin de tout, réduite à une vie sans excitation, sans possibilité d'accéder à la classe supérieure.

C'est alors qu'ils entendent parler d'un hôtel à vendre à Victoriaville. Cela les intéresse. Pour eux, un hôtel ressemble à un magasin, chambres et salle à manger en plus. Ils en discutent. Camille tiendrait l'hôtel, Catherine, bonne cuisinière, s'occuperait de la salle à manger et les plus vieux des enfants pourraient apporter leur concours, passer le balai et laver la vaisselle, par exemple.

Ils ne mettent pas longtemps à se décider. Camille cherche un acheteur pour son magasin, le trouve en la personne d'un de ses nombreux frères et, avec l'argent récolté, négocie et acquiert l'hôtel en question ainsi que sa première voiture, une belle Pontiac rouge vin qui fait sa fierté.

Catherine exulte. Il lui tarde d'entreprendre sa nouvelle vie. Elle n'aura plus dans les jambes des obstacles qui l'empêchent d'avancer. Elle qui aime les grandes maisons sera servie. Au surplus, un hôtel est une porte ouverte sur le monde et ses richesses, une encyclopédie sur les sujets contemporains, une possibilité d'obtenir des réponses à ses questions. Là, elle rencontrera des savants, des médecins, des banquiers, des voyageurs, des professeurs, des ministres, des députés et des fonctionnaires, peut-être même des écrivains, des gens intéressants, enfin !

Nous sommes en 1927, mes grands-parents ont huit enfants à nourrir et ils achètent un hôtel sans rien y connaître, deux ans avant que se déclenche la plus formidable crise économique du vingtième siècle.

10

L'hôtel ! Ah ! l'hôtel !

Quand j'étais enfant, le fait que mon père ait été élevé dans un hôtel m'apparaissait incroyable et intrigant. Il nous parlait à peine, à maman et à nous, mais il avait réussi à être affable et disert avec des clients ? Il avait du mal à nous supporter — nous n'étions que sept — alors qu'il avait côtoyé tous les jours des dizaines de personnes, pensionnaires, fournisseurs et employés ? Pour moi, cela demeure un mystère.

Maman a raconté que, jeune marié, il lavait les planchers de leur appartement, que ça lui était naturel étant donné qu'il l'avait fait à l'hôtel. Je l'ai crue, elle n'aurait pas su inventer cela, sauf que je n'ai jamais vu papa à genoux avec un seau d'eau et une brosse, en train de frotter. Si c'était arrivé, il aurait perdu un peu de sa superbe, me serait apparu plus abordable.

Pourtant, les gens le trouvaient avenant. J'avoue que ce n'est que très tard dans ma vie que je me suis rendu compte que l'homme privé était infiniment différent de l'homme public, et que le monsieur si gentil dont on me parlait était cet être tendu, pressé, distant et sévère dont nous, ses enfants, avions peur, et qui s'avérait incapable de nous offrir bon visage lorsqu'il rentrait à la maison. Encore aujourd'hui, je lui en veux de n'avoir pas déployé pour ses proches une once de son charme ; cela aurait adouci et facilité nos vies.

Il s'est amendé à partir de sa quatre-vingtième année. Un peu. Mais on ne pouvait pas être avec lui longtemps sans se rappeler qu'il avait toujours eu du mal à nous endurer plus d'une heure. Il a dû souffrir, le pauvre, de la présence de sa nombreuse progéniture au moment où il l'élevait. C'est sans doute pour cela qu'il était si rarement à la maison. Revenons en 1927. Catherine, Camille et leurs huit enfants, incluant celui qui deviendra mon père, entassés dans la Pontiac neuve, arrivent à Victoriaville un beau jour d'octobre. La nature est jolie, les feuilles des érables ne sont pas tombées. Vision idyllique que ces couleurs rougeoyantes, ces montagnes roses au couchant, ces fermes fières, ces vaches grasses, ces prés verts ; le temps y étant plus clément, la région des Bois-Francs est plus fertile que celle du Témiscouata, ce qui n'est, à vrai dire, pas difficile.

Victoriaville est une petite ville coquette et propre. Elle compte deux églises, deux ou trois couvents, elle est célèbre pour ses manufactures de vêtements grâce auxquelles ses jeunes hommes sont les plus chics de toute la province. L'hôtel que vient d'acquérir mon grand-père, qu'il rebaptisera « des Bois-Francs », est situé en plein cœur de la ville, à mi-chemin sur la route entre Québec et Montréal, une des plus fréquentées de la province.

L'hôtel est un impressionnant bâtiment de deux étages, qui tranche sur les maisons et les commerces des alentours. Il est rectangulaire, construit en bois recouvert de papier brique et surmonté d'un toit pointu abritant un grenier. Une galerie qui s'allonge sur toute la façade invite les voyageurs à s'y installer par beau temps. J'ai beaucoup de photos de grand-maman et de ses enfants assis là, face à la rue, sur des chaises de rotin ou sur la rampe. À l'étage se trouve une seconde galerie, accessible par les chambres, copie conforme de la première, à laquelle on accroche des bacs à fleurs en été. Les écuries sont situées derrière le bâtiment ; les chevaux des clients peuvent s'y reposer, s'y réchauffer par temps froid. C'est là que les enfants, amoureux de tout ce qui porte du poil et marche à quatre pattes, se réfugieront pour pleurer, la tête contre le flanc d'un animal accueillant.

D'autres photographies prises à la fin des années trente montrent une arche imposante, haute et large d'une quinzaine de pieds, qui encadre joliment l'entrée du stationnement de l'hôtel. Elle est couverte de verdure ; elle jouxte l'hôtel de si près qu'on peut y grimper pour atterrir sur la galerie de l'étage, ce que fit fréquemment mon oncle Philibert durant sa jeunesse folle, quand il rentrait à une heure qu'il voulait garder discrète. Il se faisait prendre, Catherine ayant flairé son stratagème, mais cela ne l'empêchait pas de recommencer.

À l'intérieur de l'hôtel, on pénètre dans un hall assez étroit, au centre duquel trône le grand escalier menant à l'étage. Au plafond élevé de cette entrée est suspendue une grosse babiole sans élégance qui sert de lampe, que Catherine veut remplacer par un lustre en cristal sitôt qu'elle pose les yeux dessus. Il lui faudra des années avant de pouvoir réaliser son rêve.

Comparé à une maison normale, l'hôtel nous apparaît immense ; en réalité, on n'y trouve que quinze modestes chambres. Par contre, il possède une cuisine et une salle à manger de dimensions respectables, une salle d'écriture, un bureau derrière le comptoir de l'entrée et deux salles d'échantillons, une grande et une petite, mises à la disposition des voyageurs de commerce. À gauche, au fond du hall, est dissimulé un bar, minuscule, où sont installées sept tables carrées avec chacune quatre chaises. Pas de quoi créer une cohue. Il faut ajouter à cela un garde-manger et un immense grenier, auquel on accède par un escalier étroit et raide et, sous l'hôtel, une cave de terre battue, qui sert à ranger les confitures, les conserves et le bois en hiver. En tout, le bâtiment compte cinquante pièces.

Pour l'instant, il est midi, Catherine, Camille et leurs enfants sont à l'extérieur, nerveux et excités. Le nouveau propriétaire tire de sa poche la clef que lui a remise le vendeur et la tourne dans la serrure. Il ouvre : tout est sombre et silencieux. Il n'y a rien de vide comme une église ou un hôtel,

où on sent la réverbération sonore, les effilochures de fantômes, les courants d'air, le goût du secret et de la dissimu-
lation, l'odeur de péché et le son feutré des confidences.

Les enfants veulent se précipiter à l'intérieur, Catherine les
retient d'une main ferme. Est-ce pour les discipliner ou parce
qu'elle craint les pièges, les attrapes et les trous dans le plancher? Sans doute un peu de tout cela. Par souci de l'ordre et
de l'autorité aussi. Bref, la tribu avance en grappe, les parents
devant et les enfants serrés sur leurs cuisses. Catherine porte
la dernière-née, Murielle, âgée de deux ans. Elle a peur de la
perdre, je suis certaine qu'elle ne lui permet pas de poser les
pieds sur le plancher de cet hôtel avant de l'avoir inspecté de
fond en comble. Le groupe fait le tour de l'immense demeure. Monte les escaliers, entre dans les chambres, où fenêtres et lits sont nus — les enfants n'ont pas la permission
de sauter sur les matelas —, pousse l'exploration jusqu'au
grenier. Redescend dans la cuisine, s'engouffre dans la cave
de terre battue et en revient. Pour se rendre compte avec
consternation que, nulle part, on n'a aperçu de draps, de serviettes, de taies d'oreiller ou de linges à vaisselle. Pourtant,
le vendeur avait garanti que la literie resterait sur les lieux.
Catherine remonte, paniquée, avec Dorothée qui, la première,
a soulevé la question, fouille dans les armoires, les placards,
se résout à se hisser jusqu'au grenier par le petit escalier
raide pour continuer la recherche. Peine perdue. Nulle part il
n'y a le moindre bout de coton blanc à enfiler sur les lits, le
plus petit rideau à suspendre aux fenêtres, aucune serviette ni
aucun linge de maison. L'hôtel est vide, nu comme un ver,
comme une maison abandonnée. Mère et fille redescendent à
la cuisine et rejoignent la famille autour de l'immense table
de douze couverts qui trône au milieu de la pièce, qu'on peut
agrandir et qui, elle, est là tel qu'on le leur a promis, sûrement parce que l'ancien propriétaire n'a pas trouvé preneur
pour un meuble aussi volumineux.

Alors, pour la première fois mais pas la dernière, Catherine explose et se déchaîne contre Camille. Et, en dépit de

sa résolution, elle le fait devant les enfants ! C'est que la situation est dramatique : ils sont dix, arrivent dans une ville inconnue pour prendre possession d'un hôtel dévasté — elle exagère — qui n'a pas vu un seul client depuis des semaines, peut-être des mois ! C'est plus qu'elle ne peut en supporter.

Elle reproche à Camille ce qu'elle appelle sa grossière erreur, le compare à un sans foi ni loi qui ne pense à rien ni personne, le traite de naïf pour avoir cru à la parole donnée. Lui se défend en essayant de la raisonner ; mettre une clause au contrat pour s'assurer que la literie resterait sur place n'aurait servi à rien, le vendeur ayant, de toute façon, fui aux États-Unis ! Elle fait la sourde oreille, elle continue à le haranguer, les murs de l'hôtel vibrent, tremblent, résonnent d'autant plus que le lieu est désert. Pour un peu, les enfants auraient l'impression d'être dans une cathédrale où la mère de Dieu, dont ils n'ont jamais entendu la voix de si près, lance des qualificatifs tels que maladroit, stupide, idiot, bouché aux quatre coins et malavisé, sur la tête des pécheurs. Camille est si abasourdi par cette déflagration qu'il arrondit le dos et attend que Catherine s'épuise ou change de sujet.

Il attend longtemps, elle a de l'endurance.

Il faut avouer que la situation a de quoi faire paniquer les plus braves. Pour avoir de l'argent, il faut des clients, et pour avoir des clients, il faut des draps. Un hôtel sans draps, ce n'est pas un hôtel. Quand on n'a pas d'argent pour se procurer des draps, comment avoir des clients, et donc de l'argent ? C'est la quadrature du cercle !

Ce n'est pas tout. Les enfants doivent s'instruire et assister à la messe. Ce problème-là est facile à résoudre, l'école et l'église sont à trois pas. Demain, un des deux parents ira rencontrer le directeur et lui présenter ses nouveaux élèves. Pour l'instant, Catherine, morigénant, se met aux fourneaux et, aidée de Dorothée — qui se fait un plaisir de fouiller dans les armoires pour en calculer le nombre de casseroles, le plus élevé qu'elle ait vu de sa vie —, prépare son premier repas à l'hôtel, un quelconque hachis, avec les provisions achetées en ville. Ensuite, elle distribue les chambres et les lits, couche sa progéniture au chaud sous des couvertures de laine, lui ordonne de tout oublier et de dormir.

Dormir, c'est vite dit. Les enfants sont craintifs. Tard dans la nuit, des sons parviennent à leurs oreilles. Est-ce la fatigue du voyage qui leur donne des lubies, qui leur amène ces rêves troublés ? Ils ont passé la journée dans la voiture à regarder des paysages, des nuages et les belles maisons que Catherine leur indiquait. Après, ça a été cet hôtel, censé devenir leur demeure, et cette table trop vaste... Que leur arrivera-t-il si aucun client ne se manifeste ?

Lydia, la fille de Camille, fatiguée, regrette d'avoir suivi son père. Elle a peur de Catherine qui lui sert ses «pauvre Lydia» en toute circonstance, avec un soupir de fausse compassion. Régis, l'aîné du second lit, se promet de courir les rues de Victoriaville le lendemain pour annoncer leur installation ; il criera : «Venez chez nous, on vous attend !» et les clients loueront toutes les chambres, et la famille sera sauvée ! Dorothée, au fond de son cœur, plaint sa mère ; ce n'était pas assez de déménager, il faudra qu'elle fabrique des draps et des taies d'oreiller ! À Saint-Norbert, elle avait une servante, mais ici elle est seule, elle se tuera à l'ouvrage ! Et Dorothée se jure d'apprendre à coudre le plus rapidement possible pour la seconder. Auguste, dans sa belle tête ronde, essaie de déterminer le nombre de clients dont l'hôtel aurait besoin ; à cinquante sous la chambre, les additions sont compliquées ; il demande à son demi-frère aîné, Georges, de l'aider. Celui-ci calcule que dix clients par jour ne suffiraient pas à défrayer tous les coûts, parce que, en plus, leur père a des traites à payer sur l'hôtel s'il veut le conserver. Auguste frémit de tout son être : faudra-t-il vendre la belle Pontiac rouge ? Il a envie de pleurer rien qu'à y penser ; la carrosserie est si brillante, une fois frottée. Philibert, à sept ans, est romantique, il se promet de ramasser des cailloux blancs demain matin ; si ses parents deviennent trop pauvres, ils ne pourront pas l'égarer comme le Petit Poucet. Quant à Maria et Murielle, âgées de cinq et deux ans, elles sont trop jeunes pour se rendre compte du tournant que vient de prendre leur vie. La première a envie de courir dans le lit de ses parents, elle se retient parce que c'est défendu, et suce son pouce même si c'est défendu, et la deuxième tète son biberon. Elles ne conserveront aucun souvenir de la maison de Saint-Norbert.

La nuit des parents n'est pas des plus agréables. Camille, chaste depuis la naissance de Murielle, ronge son frein, ce qui ne l'empêche pas d'avoir confiance : la tempête s'apaisera et sa joyeuse Catherine lui sera rendue. Elle, dans son délire inquiet, déroule d'énormes rouleaux de coton immaculé devant des voyageurs qui marchent dessus en y plaquant de grosses mottes de terre noire indélébile.

Colère ou pas, insécurité ou pas, le lendemain il faut se mettre au travail. Camille conduit les enfants à l'école, et Catherine évalue la quantité de coton nécessaire pour habiller les chambres.

Un premier client la dérange, ouvrant toute grande la porte et hurlant à la cantonade :

— Coucou, c'est moi !

M. Gladu, voyageur de commerce, représentant en tissus, literie et draperies, se présente. À son arrivée, l'hôtel reprend vie.

Adrien Gladu est un habitué de la place. Il a la mi-trentaine, de belles manières, le visage carré, avenant, le sourire enjôleur, la conversation débordant d'énergie et de drôlerie. Il ferait damner une femme, constate Catherine, qui s'abstient dès lors d'avancer trop près, de crainte de se brûler au feu de l'enfer.

Elle se présente à son tour, nouvelle propriétaire ; Maria et Murielle sont collées à sa jupe et dévisagent le monsieur d'un air interrogateur, elle juge inutile d'ajouter qu'elle est mariée et mère de famille.

M. Gladu est représentant en tissus ? Quelle chance, s'exclame-t-elle, avant de se faire la réflexion que le charmant homme savait sans doute ce qu'il trouverait à l'hôtel — et ce qu'il n'y trouverait pas ! — en s'y amenant. Alors elle prend son temps — toi, mon beau, tu ne m'auras pas si vite —, lui offrant d'exposer sa marchandise dans une salle d'échantillons. Elle a du goût, un sens inné de la décoration, elle l'aide à réaliser une jolie présentation, ça influencera les acheteurs.

Ce faisant, elle dévore les étoffes des yeux. Il y a du pire et du meilleur. De beaux cotons et d'autres trop minces, de fins velours et d'autres qui s'effilocheront à la première couture. Elle ne se gêne pas pour donner ses commentaires. M. Gladu est impressionné, il ne pourra pas lui chanter son couplet habituel, elle s'y connaît vraiment. Il éprouve illico du respect pour la patronne, si charmante, au sourire ensorceleur.

Pendant que M. Gladu séjourne à l'hôtel, la « patronne » s'informe en ville des prix des tissus. Elle aborde son vendeur à la fin de son séjour, après qu'il a inscrit ses commandes, au moment où il se sent rassuré. Elle négocie serré, obtient de le payer avec des nuits gratuites accompagnées de repas. Ainsi, elle fait d'une pierre deux coups : elle se procure de la literie et un client fidèle.

Content de son marché, M. Gladu, qui a obtenu plus que ce qu'il prévoyait, lui abandonne des rouleaux et des rouleaux de coton blanc qu'elle entreprend de couper et de coudre. Elle est fière d'elle. Voilà un grave problème de résolu et, ma foi, de façon commode.

À la suite de M. Gladu, une autre personne se présente ce même jour, qui sera d'une grande utilité.

Quand Catherine entend frapper, elle a un mouvement d'humeur. Les gens peuvent entrer, que diable, on est dans un hôtel ! Elle va ouvrir. Surprise ! Elle aperçoit un assortiment de carottes, de navets et de choux, soutenu par deux bras basanés, longs et sans grâce ; derrière cette vision se profile un corps qu'elle devine maigrelet sous la jupe, et un visage qui ressemble aux bras, long et sans grâce, éclairé cependant par de magnifiques yeux doux.

C'est Irma, la fille de Napoléon Turgeon, fermier des abords de Victoriaville. Embarrassée au point qu'elle se cache derrière ses carottes, elle explique en bégayant qu'elle vend des légumes et que la ferme de son père pourrait fournir l'hôtel si la nouvelle propriétaire le désire.

La propriétaire le désire, que oui ! Les légumes frais sont meilleurs au goût que les légumes vieillis et, provenant directement de la ferme, ils seront moins chers qu'à l'épicerie. Elle s'entend avec Irma, ou plutôt, elle parle à Irma, qui l'écoute, fond devant l'inattendu de la proposition et comprend tout à fait la commande.

Étant donné qu'elle attend des voyageurs surtout durant la semaine, l'hôtelière veut des légumes le lundi, qu'elle paiera chaque mois seulement. Chaque fin de mois, ça ira ? Irma transmettra le message à son père, c'est lui qui décidera. Elle tourne le dos à Catherine et repart, les bras vides, ayant vendu tous ses légumes. Refermant la porte, Catherine se moque d'elle :

— P-p-p-pauvre fille !

Sa vie à l'hôtel vient de commencer.

II

Mon grand-père, de son côté, met toutes ses énergies à monter le bar. Aux États-Unis, c'est le temps de la prohibition. Ici, la consommation et la vente d'alcool ne sont pas illégales, mais considérées par le clergé comme des occasions de désordre et de péché, vilipendées du haut des chaires et sur les parvis des églises : elles sont tout juste tolérées par les autorités civiles.

Malgré cela, les hommes boivent — aucune femme ne se serait présentée dans un bar sans perdre son honneur — et ils doivent trouver de l'alcool quelque part. Il y a celui que les bootleggers concoctent au fond des cours ou dans des camps au milieu des forêts, et qu'on peut se procurer au marché noir, mais les gens qui ont des sous préfèrent consommer les produits provenant d'une compagnie de distillation reconnue qui se vendent dans des bouteilles étiquetées.

Camille, naviguant à travers les mailles du filet de l'Église et de l'État, celui-ci étant surveillé par celle-là, organise son bar. Je ne serais pas étonnée qu'il ait dû distribuer des pots-de-vin, c'était courant à l'époque, paraît-il. Ses permissions obtenues, il enlève le siège arrière de la Pontiac et descend à Québec où il remplit la voiture de bouteilles. Tant qu'à entreprendre une telle expédition, autant que ça en vaille la peine. Il remonte à Victoriaville dans la journée et installe sa marchandise derrière le comptoir.

Les clients ne tardent pas. Le commis de la banque d'en face boit une bière à midi, celui de la banque d'à côté vient à une heure, le vendeur de chaussures arrive en fin d'après-midi pour s'enfiler un petit cognac, quelques ouvriers se pointent après le travail. Ils ont du plaisir, ils font du bruit et Catherine, mécontente, se plaint que Camille transforme son hôtel en tripot, mais il ne bronche pas d'un poil.

Une semaine plus tard, tout ce beau monde s'est transformé en clientèle fidèle et Camille est encouragé. Pour l'instant, les chambres sont quasi inoccupées et la famille vit de l'argent provenant du bar.

Un soir, un peu avant Noël, des clients s'attardent. L'un d'eux, ténor de la chorale de l'église, est fin soûl au moment où il sort affronter le froid. Titubant, il s'enfonce dans la neige, tombe, se relève, retombe, réussit à avancer de quelques pieds en hurlant des cantiques dans la rue.

— Mi-nuit! Cré-tchiens! c'est l'heure so-la-nèèèèle…

Incapable de tenir debout, il poursuit à quatre pattes et, continuant sa version «soûle» du *Minuit, chrétiens*, se rend jusqu'à la note haute, celle qui fait pleurer les fidèles dans les églises durant la messe de minuit.

— No-ËËËËËËEL-LE…

Sa voix de stentor réveille les voisins. Le lendemain, le curé reçoit une plainte. Il avait pu constater l'effet pernicieux de la boisson sur le chanteur qui ose régulièrement bafouer la religion en pleine rue en gueulant des cantiques — ce sont les seules chansons qu'il connaît — mais, cette fois, des fidèles ont protesté et c'est le temps béni de l'avent, toutes raisons qui lui commandent de sévir contre le sacrilège et le mauvais exemple publics.

Le jour suivant, les deux policiers de la ville se présentent à l'hôtel et s'adressent à mon grand-père:

— On a reçu l'ordre de confisquer votre boisson!

Camille proteste en vain, les hommes saisissent son alcool, toutes ses belles bouteilles. De précieux dollars enfuis, disparus dans les coffres du gouvernement.

— Ils vont le boire chez eux, conclut-il, amer, quand les hommes sortent.

Catherine ne peut s'empêcher d'être satisfaite.

— On pourra dormir en paix !

Cependant, le pire est à venir.

Le lendemain de cette désastreuse rafle, le curé de Victoriaville vient les voir. En si grande tenue qu'on dirait qu'il transporte les saintes huiles et les saintes espèces. Une odeur d'encens l'environne, le protégeant de partout contre les humeurs de Satan qui, chacun le sait, vous attaque souvent par-derrière. Camille et Catherine l'accueillent, lui enlèvent poliment son ample manteau noir, l'invitent à s'asseoir à l'une des tables de la salle à manger en s'interrogeant sur le but de sa visite.

L'abbé s'installe, plein du sentiment de son importance, ce qui ne l'empêche pas d'être mal à l'aise. À preuve, sous les bras, sa soutane est cernée de ronds d'humidité ; son visage, sur lequel de grosses gouttes de sueur perlent, n'inspire pas plus la sainteté. Catherine décrète en son for intérieur qu'il a mauvaise santé, sans doute parce qu'il ne se nourrit pas bien. Elle n'a pas le loisir de poursuivre son raisonnement, le prêtre termine ses politesses et aborde de côté, de biais, par-dessus, par-dessous et en le contournant le sujet qui l'amène en ces lieux profanes.

L'incident du *Minuit, chrétiens* est évoqué. Ces choses-là sont terriblement difficiles à exprimer en mots crus parce que les responsabilités sont difficiles à attribuer. Est-ce que le tenancier est responsable de l'état de son client ? Oui et non, tout dépend. De quoi ? Malavisé serait le chrétien qui jugerait un hôtelier, lequel n'a pas à assumer totalement la conduite de sa clientèle.

L'alcool n'est pas le seul sujet que monsieur le curé veut aborder et il appert qu'il y a anguille sous roche, ou gros serpent sous caillou.

Voilà. Voici. Dans toutes les régions de notre beau Québec catholique, il y a un endroit où les malheureux en ménage, les voyageurs en cavale et les amoureux contrariés peuvent se rencontrer et échanger le plaisir sacrilège d'une communion charnelle au lit, le péché le plus honni de l'Église. Dans la région des Bois-Francs, il paraît que cet endroit avait coutume d'être l'hôtel du même nom, la ci-devant propriété de Camille et Catherine.

Catherine entre dans une vive colère envers son époux. Elle retient sa fureur pour le moment — on garde son courroux pour l'intimité, n'est-ce pas, on est bien élevée. Et de sourire avec cette expression lumineuse et franche qui persuaderait le pape de sa candeur et de sa bonne volonté. Et de jurer sur tous les saints qu'elle connaît — il y en a au moins deux douzaines — que l'hôtel ne servira plus de lieu de rencontres outrageantes. Et d'enjoindre au prêtre de cesser de s'inquiéter : avec elle derrière le comptoir de la réception, à l'entrée, nuls pécheur et pécheresse de cette sorte ne seront désormais admis ! En plein centre de Victoriaville, il faut savoir se tenir, n'est-ce pas, sinon c'est toute la région qui perdra sa réputation. Et Dieu sait à quel point la réputation est importante !

Elle promet ce qu'on veut ! Camille, de son côté, s'engage à faire un effort pour le bar, sans plus : il connaît la nécessité de l'argent.

Le prêtre en profite, il entre par la porte grande ouverte. Les nouveaux propriétaires sont si avenants, ils ont de si honnêtes intentions, que penseraient-ils de demander à Dieu de les aider à respecter leurs engagements ? Cela pourrait se concrétiser par une bénédiction de l'hôtel ! Un petit coup de main du Tout-Puissant par-ci par-là n'est pas à dédaigner, les hommes sont si faibles !

Catherine accepte aussitôt et propose que ladite bénédiction ait lieu l'été, ce qui la rendrait plus facile à organiser.

Le curé, créatif à son tour, affirme qu'une cérémonie célébrée devant plusieurs personnes est plus utile ; une auberge n'est pas une maison privée, et c'est son caractère public qui incite à la bénir en grande pompe. Pour lui, la Fête-Dieu de l'an prochain serait l'occasion propice ! Catherine approuve, heureuse ; le curé n'a pas besoin de le savoir, mais cette cérémonie constituera une excellente publicité, d'autant plus intéressante qu'elle sera gratuite !

C'est décidé.

Et le saint homme de repartir les aisselles et le visage plus secs. Il vient de franchir un pas difficile, qui pourrait s'avérer une avancée prodigieuse sur la voie de la sanctification et de l'édification de toute sa communauté !

La porte n'est pas sitôt refermée que Catherine laisse jaillir la colère qu'elle réprimait. Il ne manquait plus que ça, recevoir l'opprobre de la part de leur curé. Elle s'acharne sur Camille, qui ne s'informe pas avant d'acheter, qui les a mis dans une situation où leur réputation personnelle est menacée. Comment tenir décemment un hôtel dans ces conditions ? Comment changer de clientèle ? Elle l'avait devinée, elle, cette pratique douteuse, juste à accueillir certains des clients qui se présentent au comptoir.

Camille se défend. Il ne se doutait de rien. N'avait pas d'espion dans la région, personne qui aurait pu l'informer. Ils seront attentifs, ils ouvriront l'œil et le bon, et n'accepteront pas de clients non mariés. Ça paraît, que diable ! En revanche, non, il ne fermera pas le bar. Catherine insiste, elle voudrait ne servir que du vin à table, ce à quoi il rétorque qu'il n'en est pas question. Là-dessus, ce n'est pas elle qui mène la barque. « Têtu comme un Pelletier », a-t-elle entendu à plusieurs reprises à Saint-Norbert ; elle éprouve la totale véracité de cette affirmation.

Camille retourne à Québec acheter son deuxième voyage de bouteilles. Il se promet cette fois d'être prudent, d'y aller en douceur. Chat échaudé… Il n'en rapporte qu'une petite quantité. S'il est à nouveau victime d'une saisie, il perdra moins du précieux liquide qui rend le client joyeux et éloigne la famine de la maison du vendeur. Il décide de fermer son débit plus tôt et de mettre la sourdine sur la voix des clients qui auraient envie de chanter, *a fortiori* des cantiques, il fait vœu de gentillesse avec le voisinage et se jure de se montrer à la messe pour prouver son honnêteté.

Le purgatoire n'est toutefois pas terminé.

Le dimanche suivant, Catherine est à l'église en compagnie des enfants habillés, coiffés, propres et disciplinés. L'homélie de monsieur le curé porte sur les dangers de l'alcool pour l'âme et les bonnes mœurs ; il condamne les mauvais citoyens qui fournissent à leur prochain l'occasion de se corrompre et qui causent la discorde dans les ménages. Et l'abbé, convaincant, de portraiturer d'un ton dramatique des enfants qui pleurent des larmes amères sur leurs joues sales, des femmes éplorées aux traits tirés, la pauvreté et la misère de ceux qui ont l'alcool pour compagnon d'infortune. Pour finir en beauté, il insiste avec ardeur sur la santé, la prospérité et la sainteté des couples où l'abstinence règne.

Dans l'église remplie à craquer, il semble à Catherine que tous les regards convergent vers elle. Elle fond, elle brûle sur son banc. Le bois devient chaud à travers son manteau, les fesses lui démangent. Elle rougit jusqu'à la racine des cheveux. Non seulement elle est étrangère, empruntée, elle est, de plus, la propriétaire du bordel de la région et la tenancière du bar le moins bien fréquenté de la ville. Sa réputation ! Elle, qui y tient comme à la prunelle de ses yeux, vient de la perdre pour des gestes qu'elle réprouve, des abus qu'elle n'a pas commis, qu'elle essaye en vain de prévenir. De sa vie elle n'a jamais été aussi humiliée !

Et c'est là, assise sur ce banc d'église inconfortable, que, au lieu de se réconcilier en son cœur avec son époux et d'essayer, selon ce que Jésus recommande, de le comprendre, elle a un accès de haine contre lui. Incapable de cette humilité que l'Église conseille aux bonnes épouses, elle lui en veut de la placer dans une situation sans issue.

Est-ce la honte qui lui fait descendre le sang aux jambes ? Elle y a mal, très mal. Peut-être sa douleur provient-elle du fait de s'agenouiller sur le prie-Dieu alors qu'elle a les articulations sensibles — elle les appelle ses pentures. Ce n'est pas une moindre souffrance que la pensée de tout ce travail qu'elle a laissé en plan pour se rendre à l'église :

trois douzaines d'œufs et les pommes de terre à émincer pour les omelettes, la pâte à crêpes à compléter, le sucre d'érable mou à couper fin, les oignons à peler pour aromatiser les poulets destinés au dîner, les quinze pains qui lèvent pour la deuxième fois à cuire dans trente minutes, la chaudronnée de porc haché qui mijote, dont elle fera des cretons si Dorothée n'oublie pas de la touiller, la chambre numéro quatre qui doit être nettoyée de fond en comble parce que le client se plaignait de démangeaisons ce matin — espérons qu'il n'y a pas de poux dans le matelas —, elle n'a plus de citron, il faudra commander des serviettes pour les chambres, on risque la pénurie tous les dimanches, le lavage est le lundi, on ne peut pas laver deux fois par semaine et elle perd son temps ici à subir un outrage public !

Le premier devoir d'une femme n'est-il pas de soigner ses enfants et de leur procurer à manger ? Tout le reste vient en deuxième, y compris le service de Dieu. L'important c'est de l'aimer et de le respecter dans son cœur !

À partir de ce jour, elle omet de se rendre à la messe dominicale, et tente de se convaincre que son lot de souffrances compense pour cette légère incartade aux enseignements de l'Église. Elle n'y réussit pas, se sent en état de péché grave et décide d'exposer son cas de conscience au curé qu'elle rencontre au presbytère et qui a encore — est-ce parce qu'elle est particulièrement belle dans son décolleté gris acier ? — les aisselles et le front humides.

Repentante, amène, soumise et souriante, imaginative et drôle, elle lui décrit le travail gigantesque qu'elle doit abattre, la hauteur et le nombre d'escaliers à monter et à descendre, l'état de ses jambes, de son cœur, de ses reins, pour lesquels elle avoue une insuffisance, diagnostiquée par le médecin s'il vous plaît. Elle en profite pour inviter le prêtre à se présenter quelquefois à la salle à manger — ma cuisine est délicieuse, vous apprécierez ! — et pour raconter avec force détails charitables qu'elle a renvoyé de l'hôtel trois couples louches. Elle n'oublie pas de professer une foi sans faille, un sens du devoir qui la tenaille, un goût de la charité qu'elle n'exprime pas à satiété puisque l'argent lui manque, elle termine son numéro la main sur la poitrine, sortant un petit mouchoir brodé de rose pour essuyer la larme qui perle au coin de son œil.

Elle réussit à obtenir l'absolution, mieux, la compréhension de la part du bon curé. Pourvu qu'elle fasse ses Pâques, elle se comportera selon sa conscience. Si son état lui permet d'assister à la messe, tant mieux, sinon, elle s'acquittera des besognes quotidiennes auxquelles Dieu l'a attachée en cette vie en lui rendant hommage au plus profond de son cœur.

C'est ce jour-là qu'elle apprend qu'on peut charmer les prêtres. Elle en profitera toute sa longue existence.

Le jour de la Fête-Dieu, l'été suivant, lors de la bénédiction de l'hôtel, elle se présente dehors, corsetée, dans une nouvelle robe blanche ornée de dentelles, et couverte d'un chapeau d'envergure. Elle a lavé, coiffé, habillé et pomponné ses enfants, elle a obligé Camille à s'acheter un canotier, le seul dans tout Victoriaville. Sur chaque montant de la galerie de l'hôtel, elle a fait piquer des drapeaux jaune et blanc aux armes du pape. Le curé, qui se présente derrière l'ostensoir, sous le dais blanc décoré de guirlandes dorées, avec ses servants de messe, son encens, sa burette et son bénitier, est si impressionné par le spectacle qu'il s'embrouille dans son texte.

Catherine, triomphante, n'aura qu'un mot qu'elle clame haut et fort à toute sa maisonnée après la cérémonie :

— Je pourrais parler latin mieux que lui !

12

Si Catherine est exigeante pour elle-même, elle l'est tout autant pour son entourage. Elle n'engage pas n'importe qui, et la plus insignifiante des servantes doit réussir l'examen minutieux auquel elle la soumet.

Comment rencontre-t-elle Marguerite Berthelet ? Elle avait besoin de personnel, alors elle s'est adressée à ses fournisseurs, à ses clients, aux gens autour. Le bouche à oreille produit son effet, il amène Marguerite à la porte de l'hôtel un beau matin pour proposer ses services. Elle a un visage éveillé, elle est intelligente, vive, débrouillarde, propre et... élégante, ce qui n'est pas commun ; Catherine, tout de suite, la trouve à son goût. Marguerite, en quelques jours, devient la perfection incarnée. Quoique jeune, elle a du courage, de l'initiative et le travail ne l'effraie pas, toutes qualités que sa patronne apprécie au plus haut point. On la voit vaquer sans arrêt entre la cuisine et les chambres, entre le lavage et l'époussetage, entre les repas à préparer et les draps à repasser. En quelques mois, grâce à son intelligence et à sa fiabilité, elle devient une confidente, une aide privilégiée, une sorte de grande intendante de l'hôtel et une seconde mère pour les enfants. Grâce à elle, Catherine peut désormais se reposer sur quelqu'un pour les besognes journalières, ce qui lui donne le loisir d'entamer la transformation de sa salle à manger, dont elle veut faire une table recherchée, un rendez-vous gastronomique.

Laissant Marguerite en charge de l'hôtel, elle part trois semaines suivre des cours de cuisine auprès d'une certaine Jehane Patenaude, plus tard connue sous le nom de Benoit, qui, de retour de la Sorbonne où elle a appris la chimie des aliments, commence à enseigner au Québec. Elle vit là une expérience extraordinaire ; non seulement elle apprend des façons nouvelles d'apprêter les aliments, elle reçoit enfin des réponses à ses questions sur leur valeur nutritive. Et, la vie n'étant pas banale, c'est elle qui montre à son professeur comment apprêter le gibier — perdrix, castor et chevreuil — qu'on trouve au Québec et qui lui révèle le secret du fameux cipaille dont elle a appris la recette dans le Bas-du-Fleuve.

Elle revient de ses cours, prête à constituer des menus complets et originaux.

Elle établit que sa salle à manger est un lieu qui sera reconnu pour sa classe et son raffinement. Ainsi, les couverts seront d'argenterie, et les serviettes de table, pliées en chapeau pointu. Elle bannit le bœuf en steak ou haché et propose des plats cuisinés : poulet à l'estragon et citron, anguille aux tomates et fines herbes, agnelle au romarin, lapin en sauces diverses ; à son foie de veau elle ajoute une goutte de sauce soya qui fait toute la différence, ainsi que des oignons frits. Elle sert des viandes sauvages, lièvre, castor et porc-épic, par exemple. Amateur de poissons, elle commande son hareng fumé de la Gaspésie et propose de la sole et de la morue, alors qu'on ne voit généralement que de l'aiglefin sur les tables québécoises. Elle confectionne ses propres macédoines de légumes frais, met au menu des aubergines gratinées, des crudités, de nouvelles sortes de jus : canneberges et fruits tropicaux. Elle utilise les fines herbes et les épices, qu'elle achète à Montréal, elle invente des entrées et des desserts à partir des fruits de la saison.

Avec un souci constant de sortir de l'ordinaire, elle crée des présentations soignées et originales pour toutes ses assiettes. Plus tard, au milieu des années trente, elle proposera le thé, servi dans de fines tasses de porcelaine en fin d'après-midi, qu'elle accompagnera de hors-d'œuvre et de bouchées, dont des roulés aux asperges, un classique dans la famille. Enfin, elle fabrique ses propres condiments, auxquels elle ajoute sa touche secrète : betteraves marinées, concombres salés, et tous les ketchups imaginables, le vert, le rouge et celui aux fruits, si délicieux.

Pour un petit hôtel de province, son menu est une véritable révolution en 1927.

Un an après qu'ils s'y sont installés, l'hôtel de Camille et Catherine, désormais pourvu de la literie et de toute la lingerie nécessaires au confort des clients et de la maisonnée, d'une salle à manger accueillante et chic, commence à rouler normalement.

Entre les époux, par contre, les relations sont loin d'être au beau fixe. Elle le morigène quand il vient dans la cuisine, résistant à ses tentatives de supervision et lui, de son côté, insiste pour savoir combien les chambres rapportent. C'est que chacun reçoit les visiteurs, selon sa disponibilité, et Camille veut se faire une idée juste des revenus de l'hôtel.

Après quelques chassés-croisés, ils finissent par s'asseoir ensemble, discuter et se partager les territoires, le travail et les responsabilités. L'argent, surtout. Catherine avait la charge de la salle à manger, de l'entretien des chambres, du lavage, du repassage et du reprisage, elle y ajoute l'engagement et la rémunération de son personnel. Quant à Camille, il se postera à l'entrée, recevant les clients et les conduisant à leur chambre, portant leurs bagages et s'occupant du bar. Pour ce qui est des recettes et des dépenses, Catherine assumera celles des chambres et du restaurant, et Camille gérera les revenus de la vente d'alcool, avec lesquels il honorera les traites sur la voiture et l'hypothèque.

Au fond, elle s'occupe d'affaires de femmes et lui, de questions d'hommes. Elle s'en rend compte, déteste ce partage, mais n'a pas le choix ; elle me l'a avoué plusieurs années plus tard — non sans humour —, il fallait bien qu'elle lui laisse quelque chose à faire !...

C'est donc elle qui dirige la main-d'œuvre, laquelle inclut ses propres enfants, c'est tout naturel.

À Georges, l'aîné, qui a quinze ans, est confié, le matin, le soin des chevaux et, le soir, la responsabilité de Maria et de Murielle, les bébés. Philibert, le plus jeune fils, proteste, il aurait voulu nourrir et étriller les chevaux ; Catherine se moque de lui et lui enjoint d'apprendre à manger avant de nourrir les bêtes. Il se vexe, il boude, elle n'en a cure et lui confie une activité à la hauteur de ses capacités, les commissions. Il ira chez le boucher, l'épicier, le cordonnier ou le curé porter ou chercher des objets ou des messages aussi hétéroclites que différents. Cette tâche est sans doute à l'origine de sa facilité à nouer des contacts qu'il possédera sa vie durant. Il a ordre de ne pas traîner en route ; un manquement lui vaudra soit d'autres commissions, soit la privation de dessert. D'ailleurs, cet avis sévère vaut pour tous les enfants.

Régis et Auguste, les cadets, qui ont douze et dix ans, reçoivent pour mission de laver les planchers du hall, des salles d'échantillons, de la cuisine et du bar dès potron-minet, et la vaisselle après le souper. Auguste qui, dans sa belle tête ronde, a la sagesse de ne pas s'opposer à sa mère, de ne pas créer de remous, baisse le nez dans son assiette. Les planchers il lavera, la vaisselle il essuiera, sans rechigner. Régis est soulagé, il s'attendait à pire, devoir faire les lits et épousseter, par exemple, ce qu'il déteste parce que ce sont des tâches de filles qui, justement, seront attribuées au personnel féminin.

Continuant sa répartition, Catherine regarde la « pauvre Lydia », de santé fragile, et soupire.

— Toi, je suppose que tu vas être malade, si je te demande de travailler !

La petite ouvre la bouche, déconcertée, mais Catherine s'adresse déjà à Dorothée, sa plus vaillante, à qui elle confie le rôle, lourd pour ses onze ans, d'aide-cuisinière. L'enfant est ravie, déjà elle pèle les légumes, apprête les poulets, tranche les oignons et prépare des bouillons de viande, et elle en apprend tous les jours davantage sous la direction de sa mère, dont elle admire la science culinaire.

Les rejetons de Catherine, enrégimentés, travaillant du matin au soir, ne protesteront pas. Ils savent que leurs désirs personnels ne comptent pour rien, ceux de leur mère étant beaucoup plus puissants. Ils font partie de cette masse d'individus indistincts qu'elle — à l'instar des gens de cette époque — appelle «les enfants» et sur lesquels elle exerce une autorité héritée de Dieu. Quand ils seront parents, ils reproduiront, pour la plupart, le comportement de leur mère et refuseront de reconnaître l'importance des goûts et des envies de leurs descendants. Ils les destineront à des carrières qui ne leur conviennent pas, à une vie calquée sur la leur. Mon père a déterminé que ma sœur serait secrétaire et que je n'avais nul besoin d'étudier puisque je me marierais et que je laverais des couches. S'il avait souffert de la domination de sa mère, il ne s'en souvenait plus au moment où il nous soumettait à son autorité. Pour ce qui est de ma sœur et de moi, il n'a pas eu de nez : elle déteste son métier, je n'ai pas été demandée en mariage et n'ai pas non plus eu d'enfants.

Catherine exige la perfection de la part de tout son personnel. Elle s'assure que nul ne s'amuse en travaillant, surveille le rythme de chacun, son efficacité. Dorothée, Régis et Auguste lui donnent pleine satisfaction ; par contre, Georges n'est pas très sérieux et Philibert est fantaisiste.

Pour ce qui est des plus jeunes, elle essaie de montrer à Maria à épousseter — sans succès, elle est trop jeune — et contemple Murielle, à ses yeux la plus jolie et la plus intelligente de toutes les petites filles. Fait-il un tantinet froid dehors ? Elle défend qu'on la sorte. La fillette a-t-elle faim ? On lui donne le lait le plus frais. Elle s'installe dans le confort, passant du giron de sa mère à celui de Margot ou de son grand frère Georges, qui l'adorent et lui inventent des histoires sans fin. Même Camille, timide avec ses autres enfants, lui prodigue des attentions, sans doute parce qu'il ne peut plus les diriger vers sa femme. Tant qu'elle sera fertile, en effet, il n'est pas question qu'il l'honore. Il ronge son frein et, en fils d'Éphrem qu'il est, lui administre, pour toutes caresses, des tapes sur le derrière qui la font hurler de rage tellement elle les juge maladroites et déplacées. Elle, à l'inverse, ne regrette en rien sa continence forcée. Elle demande au bon Dieu, tous les jours, que ça dure, que ça dure.

Que ça dure jusqu'à la fin de ses jours !

13

La vie n'arrête pas de déverser son ballot de surprises désagréables, selon l'expression de Catherine. Adolphe mort, Philomène Boutin, sa mère, la méchante, s'est éteinte des suites d'une mauvaise grippe à peine six mois plus tard. Prise par l'organisation de l'hôtel, elle n'a pas eu le loisir de l'assister, de lui faire ses adieux. Son frère Lionel, orphelin à dix-sept ans, s'est réfugié chez sa sœur Albertine, la réchappée de la grippe espagnole qui, mariée avec Ernest, le frère de Camille, n'a toujours pas d'enfants.

Marguerite Berthelet, qui constate que sa patronne perd son sang en abondance chaque mois, lui suggère «la grande opération». Catherine consulte un médecin, qui lui recommande le même traitement, auquel elle accepte de se soumettre. Sans plus tarder, elle part pour l'hôpital où elle subit une hystérectomie complète.

Elle s'est plainte d'avoir été souvent malade, ce qui est sans doute vrai. En ce qui me concerne, j'ai rarement vu malade si bien portante; les cretons au germe de blé qu'elle mangeait et les sirops à la mélasse noire avec lesquels elle se soignait au moindre signe de rhume — et nous également! — lui procuraient une énergie indéfectible, imbattable.

L'hystérectomie présente des avantages; elle n'aura plus d'enfants, cette pensée la réconforte, elle estime qu'elle a fait sa part et qu'elle a assez souffert en les poussant hors d'elle à l'accouchement. Par contre, à présent qu'elle est infertile, elle devra se soumettre au désir de Camille. Une femme n'a pas le droit, sous peine de pécher, de se dérober à ses devoirs conjugaux !

Pour ce qui est des plaisirs de l'amour, elle n'a plus aucune illusion, elle n'en éprouvera pas. Pourtant, l'orgasme et le plaisir existent, elle en est certaine, elle le lit dans les livres à l'index — elle a une petite armoire fermée à clef où elle les range… — qu'elle achète à Montréal lorsqu'elle s'y rend chercher ses fines herbes et ses épices. C'est par gaucherie, ignorance et inconscience que Camille ne tente pas de la satisfaire. Elle rage rien que d'y penser. Elle a tant de possibilités de jouir. Juste à imaginer un frisson, elle le sent dans son échine, sa poitrine se soulève, ses orteils se retroussent. Sauf que c'est péché — aussi ! — de désirer la jouissance, alors elle s'exaspère contre l'Église, contre Dieu, contre sa société qui transforment son corps en une prison trop étroite pour ses sens exacerbés, ses désirs puissants et son emportement passionné.

Il y a un autre sujet délicat à discuter, mais qu'il faudra aborder puisqu'elle devra se soumettre à la volonté de l'Église. Camille ne se lave pas. Son pénis est toujours sale. Elle a peur d'être contaminée, d'attraper des maladies, de moisir en dedans, de se putréfier pour cause de gangrène sexuelle. Il vient d'une famille où, une fois qu'on a enfilé sa camisole à l'envers, on considère qu'on est propre.

Dès qu'elle est remise de l'opération, elle dégotte des publications sur la propreté, le soin à apporter à son corps et l'étiquette qui recommande qu'on sente la rose plutôt que la sueur. Elle refile ces bouquins à Camille. C'est sa façon d'être exemplaire, exempte de tout reproche. En lui demandant de se laver, elle va aussi loin qu'une femme peut aller dans des rapports entre conjoints ; puisqu'il faut passer par la couchette, elle voudrait que ça ne soit pas dommageable pour la santé.

Et elle espère.

Elle espère, mais pas trop.

14

Le visage de grand-papa est flou à ma mémoire. Je me souviens de ses dents, petites et égales, de son nez fin et droit, de ses yeux bleu tendre ; vieux, il avait le front très haut et les cheveux blancs. Elle, avec son teint olive et ses yeux noirs, avait des gènes dominants, de sorte que la majorité de ses descendants arborent ses traits, aux narines évasées, surtout pendant un sourire. D'elle, on a des montagnes de photos. Elle est partout, debout ou assise, seule ou avec ses filles, corsetée, toilettée, coiffée, la tête nue ou couverte de chapeaux extravagants ; vieille, elle est généralement installée sur une chaise, le visage sans expression, tourné vers l'objectif. Camille n'apparaît presque nulle part et, dans un groupe, il est derrière, mis à l'écart, en somme, du reste de la famille.

En dépit de ce qu'elle racontait à son sujet, il n'avait pas tous les défauts. C'est vrai qu'il avait moins d'envergure qu'elle, était peu exigeant, se lavait et lisait rarement. Mais il savait quand l'argent menaçait de manquer et ne dépensait pas un sou de plus que ceux qu'il possédait. Pour un homme qui était allé à l'école seulement trois ans, c'était un exploit.

À partir du 24 octobre 1929, journée mémorable où la Bourse dégringole et ruine des milliers de spéculateurs et de détenteurs d'actions, l'Occident vit une période longue et difficile, celle de la grande crise économique.

Pour Camille, cette année-là et les suivantes sont affolantes. De quelle façon tient-il le coup ? Il ne s'est sans doute pas rendu compte tout de suite de l'étendue de la crise, dont les effets ne se font sentir que petit à petit. Par exemple, ce n'est qu'au printemps 1930 que l'usine de confection de vêtements de Victoriaville renvoie des employés, suivie par la Forano, aciérie de Plessisville, la ville voisine, qui, malgré une réputation si bonne qu'elle s'étend jusqu'à Montréal, met à son tour des travailleurs à pied.

À l'hôtel, c'est à partir de là que le ralentissement devient perceptible. Les visites des voyageurs de commerce s'espacent; ils vendent peu, ils ont moins de raisons de rencontrer les marchands. Les autres clients habituels, hommes d'affaires et hommes du clergé, se présentent plus rarement. Le fragile équilibre financier auquel Camille était parvenu bat de l'aile, et tout le pays entre dans une torpeur menaçante.

La surprise, c'est que le prix des denrées alimentaires, qu'on s'attendait à voir monter, tombe. Irma, la timide Irma, celle qui se cache derrière ses légumes pour frapper à la porte de l'hôtel, raconte, quand on la questionne sur la raison des larmes qu'elle verse, que son père ne peut plus payer la lourde hypothèque qu'il a contractée pour se constituer un troupeau de vaches laitières; la famille se demande ce qui lui arrivera. La banque reprendra-t-elle la ferme? Les obligera-t-elle à déménager? Mais quel bénéfice une banque tirerait-elle à évincer un fermier dont le travail contribue à nourrir des gens? Ses produits sont essentiels.

— Pauvre fille, commente Catherine, oubliant d'être ironique.

Il n'y a pas que la famille d'Irma qui a des difficultés. Partout, on garde ses bouts de ficelle, on use ses souliers jusqu'à la corde, on mange ses pelures de pomme de terre et ses carottes rabougries. L'heure n'est pas à faire la fine bouche.

Pour l'hôtel, s'approvisionner est plus difficile qu'auparavant, quoique les fournisseurs s'y présentent dès qu'ils ont quelque chose à vendre. Camille fait sa grosse part. Son bar a des clients malgré la crise, et il lui arrive d'accepter de vendre sa bière au prix coûtant en échange de denrées.

L'alcool étant, en dépit de la surveillance constante des autorités policières et ecclésiastiques, la seule source de revenus non déficitaire, il porte une attention particulière à la solvabilité des clients. Par bonté d'âme, il refuse de désaltérer certains chômeurs en leur conseillant d'utiliser le peu d'argent qu'ils ont pour nourrir leur famille.

Ses efforts n'empêchent pas qu'il atteint à son tour le creux de la vague et qu'il manque de fonds pour payer les traites. Pour ne pas perdre l'hôtel, il se résout à emprunter. Aucune banque n'acceptant, il se tourne vers un particulier, Eudore Fournier, un riche industriel, un des rares qui ait des fonds dans la région. Contre un prêt de treize mille dollars, somme rondelette à l'époque, il doit concéder la première hypothèque sur son bâtiment. Il évite d'informer Catherine ; ce qu'elle ne sait pas ne peut pas lui faire de mal. De toute façon, l'hypothèque est sa responsabilité.

Il a quarante-cinq ans. C'est à partir de ce moment que ses cheveux blanchissent.

Comme il n'est toujours pas question d'admettre dans les chambres des couples illicites pour des activités lubriques, ce qui, sans doute, aurait réglé une partie des problèmes de liquidités, mes grands-parents décident de garder des pensionnaires. Catherine avait repoussé l'idée à cause du surcroît de travail que cela entraîne pour elle et son personnel, elle considère désormais qu'elle n'a plus le choix ; il faut générer des revenus.

Durant toute la crise et après, l'hôtel des Bois-Francs hébergera des clients à la semaine qui paient un dollar par jour pour être logés, nourris et blanchis, reprisage inclus. Ce n'est pas la richesse, on n'en demande pas tant ; ce qu'on veut, c'est garder l'établissement ouvert et procurer à la famille nourriture et vêtements en quantité nécessaire.

J'ai vu ma grand-mère pingre, lésinant sur le moindre sou et pleurant trois jours la perte d'un aliment oublié au frigo. Pourtant, elle a gardé pendant la crise des gens incapables de payer leur écot. Deux, à ma connaissance.

Le premier, c'est Lionel, son jeune frère qui, après être demeuré deux ans chez sa sœur et son beau-frère à Saint-Norbert, a déménagé à Montréal pour se trouver un emploi qu'il a perdu lors de la crise. Cette fois, c'est chez sa sœur aînée qu'il se réfugie. L'hôtel ne manque pas de chambres et une bouche de plus ou de moins à la grande table de la cuisine ne fait pas de différence. C'est ce que signifie Catherine qui, contemplant ses six pieds dans l'encadrement de sa porte, lui lance, heureuse de le voir :

— Arrive ! Quand il y en a pour trois, il y en a pour quatre !

Lionel est vaillant, il donne un coup de main, aucune besogne n'est trop dure pour lui. Il reçoit le salaire accordé aux autres membres de la famille, c'est-à-dire rien du tout. Pour les enfants, sa présence est une vraie joie. Il a une jeunesse éclatante, une bonne humeur et un rire contagieux, ce qui change des jérémiades de leur mère et du silence inquiet de leur père.

Le deuxième pensionnaire qui loge gratuitement à l'hôtel occupera une place particulière dans le cœur de tous, c'est Gerry Elliot.

Camille et Catherine ont beau être catholiques et Québécois pure laine, ils n'en ont pas moins une grande ouverture d'esprit, beaucoup de générosité et une curiosité dévorante pour tout ce qui leur est étranger. Gerry Elliot est banjoïste de métier, unilingue anglophone et noir. Noir. À Victoriaville, en 1930.

Il a frappé à la porte en hiver, au plus fort de la crise, avec pour tout bagage un petit sac contenant ses articles de toilette et une valise de forme étrange. Il s'est assis au bar, a sorti de cette valise un instrument bizarre, un banjo, a demandé par gestes si ça plairait aux clients d'entendre de la musique ; tous ont opiné du chef et il a attaqué un morceau rythmé, joyeux, sur ses cordes aux sonorités riches et brèves.

De la cuisine, entendant cet air de La Nouvelle-Orléans, sont apparus tour à tour les enfants, les servantes et Catherine, intrigués. Le morceau terminé, ils ont applaudi, le visage réjoui ; content, Gerry a bu sa bière et a fait déferler des notes jusqu'à la nuit. La tempête de neige avait beau sévir dehors, lui chantait du blues de La Nouvelle-Orléans et les clients rêvaient de soleil et de chaleur, de rhum et de rumba.

On l'a hébergé pour le remercier. Le lendemain, il a poursuivi. Le surlendemain aussi. Et il s'est installé. D'où arrivait-il ? Par quel chemin détourné s'est-il retrouvé à Victoriaville ? Personne n'en a la moindre idée, pas plus aujourd'hui qu'à ce moment-là. Peu importe, il est demeuré à l'hôtel durant des années.

Sa musique gaie, entraînante, entre les murs d'une maison qui vibre souvent des éclats de colère de Catherine, est un baume. Elle met le sourire aux lèvres, elle réjouit le cœur.

— *You are my real family*, dit-il après quelques mois.

Ce que la famille comprend vaguement, ignorante de l'anglais comme lui l'est du français.

Pourquoi Catherine, qui se plaignait toujours d'avoir trop de travail et pas assez d'argent, a-t-elle accepté de le garder si longtemps ? Si elle avait voulu le chasser, il serait parti, que la famille soit d'accord ou pas. Peut-être parce que, à cette époque difficile, il représente le souvenir et la promesse de temps plus faciles. Peut-être parce qu'elle le considère comme un envoyé de Dieu qui, prenant pitié de l'accablement de ses créatures, leur aurait octroyé une bénédiction musicale.

À l'occasion, Gerry donne un spectacle dans un autre bar des environs, où il ramasse quelques sous. Il achète du petit bois avec lequel il confectionne des boîtes à bijoux d'une délicatesse inouïe, qu'il offre en cadeau aux dames de l'hôtel, ou qu'il vend pour se faire un peu d'argent de poche.

Et, de sa voix de velours, il converse avec les enfants ; il a saisi que les parents tiennent à ce qu'ils apprennent l'anglais, alors il leur raconte des histoires, indique les objets et leur apprend à les désigner, les reprend, mime sa phrase si nécessaire. C'est un être d'une grande bonté.

Il a des mains magiques. Il n'est jamais à court de musique, de chansons, de mélodies sur son banjo. Gaies, jazzy, mélancoliques, il en sait des centaines et il en invente. La petite Murielle, le bébé chéri de Catherine, qui a maintenant six, sept, huit ans, apprend le piano; il s'assoit à ses côtés et l'accompagne. Chaque fois, c'est un pur plaisir d'entendre le duo qu'ils forment. Il y a les deux instruments et les deux rires, celui de Murielle qui s'élève en cascade cristalline et le sien, aux intonations basses si chaudes.

Autour de lui et de sa musique, on organise des fêtes; dans la cuisine, le samedi soir, Catherine sort son accordéon — instrument à cinq accords et autant de touches, récupéré du magasin de Camille —, Gerry joue du banjo, on syntonise la radio et toute la maisonnée danse et chante. Les pensionnaires participent, ils sont de la maison, de la famille.

C'est ainsi que les enfants de Catherine et Camille apprennent à jouer des cuillers, à garder le rythme. Elle est une formidable danseuse et entraîne ses fils, à tour de rôle, sur la piste improvisée dans la cuisine, dans l'espace laissé par la table qu'on a poussée contre les armoires. Elle leur enseigne à tenir leur partenaire, à placer leurs pieds, à tourner, à conduire. Quelquefois, elle accepte qu'un de ses fils, mais pas Camille, la mène. De toute façon, Camille est retenu au bar, durant la fête.

Ah, Gerry Elliot.

Quand papa m'en parlait, il avait toujours le sourire aux lèvres. Et les larmes aux yeux.

15

Entre-temps, dans le lit conjugal, les choses se corsent.

Catherine, qui a espéré que Camille s'efforcerait d'être propre, est déçue. Elle jurera qu'elle n'attendait rien d'autre de lui, on me permettra d'en douter, il est encore très bel homme et elle n'a pas un caractère à renoncer. Mais il a été élevé à faire ses ablutions une fois par semaine comme ses quinze frères et sœurs, il ne voit pas pourquoi il changerait ses habitudes. Il résume ses raisons en une phrase lapidaire, destinée à qualifier le comportement et les requêtes de sa femme:

— Elle a un cul de catin!

Il trouve cependant moins drôle que, pour protester contre sa façon d'agir, Catherine se sente en droit de l'éconduire lorsqu'elle juge qu'il devrait passer à la savonnette.

Alors, pour une fois dans sa vie, cet homme se révolte et décide de montrer à sa femme qu'il peut aller chercher ailleurs ce qu'elle lui refuse en dépit des directives de l'Église. Le voici, un beau soir, en direction de l'appartement d'une femme aux mœurs douteuses dont il a entendu chuchoter le nom à l'hôtel. Elle est, paraît-il, très discrète et vend ses services bon marché, crise oblige.

Il s'y rend le cœur léger et la jambe alerte, et il baise. Après cinq ans d'abstinence presque totale, il s'envoie en l'air. Sous un éclairage blafard, dans cette chambre sans grâce, il me semble qu'il sourit un tantinet. Pendant un instant, il oublie sa femme et ses huit enfants, ce poids qui lui pèse. Il en a le droit. Je l'imagine qui somnole, à côté de la femme fardée, dans le lit de fer un peu rouillé qui vient de grincer en suivant son rythme. J'espère qu'il jouit de son repos après son orgasme, parce qu'il n'aura plus la chance de le faire dans cette vie.

Pauvre Camille.

Pour cette première incursion dans l'univers du péché de la chair, il est mal tombé. Sa douce avait une gonorrhée, il l'a attrapée et l'a refilée à Catherine.

Elle, qui dès son opération a cherché un moyen de le bouter hors de son lit, saisit cette occasion avec une détermination farouche. Elle n'est pas sitôt revenue de sa visite chez le médecin, où elle a appris la terrifiante nouvelle, qu'elle poursuit Camille dans les escaliers pour le chapitrer, puis, le souffle coupé, court se réfugier dans une chambre dont elle verrouille la porte. Là, elle pleure, elle crie, se désole, se lamente, se tourne les sangs deux jours entiers. Elle ne se montre que pour accepter de la nourriture, et cela, quand on la prie et que c'est Dorothée ou Marguerite qui apporte le plateau.

— Je veux mourir. Laissez-moi mourir, sanglote-t-elle.

Dorothée est bouleversée. Elle a vu sa mère pleurer, mais jamais avec cette intensité. Elle en veut à son père, qui, sans qu'elle sache exactement pourquoi, est la source de ce chagrin. Les autres enfants sont également inquiets. Maman est malade ? Qu'est-ce qu'elle a ? Guérira-t-elle ? Quand redescendra-t-elle à la cuisine ?

Le médecin, appelé à son chevet, diagnostique l'hystérie. Il rassure Marguerite, Dorothée et Camille ; elle se calmera.

Deux jours plus tard, elle sort de la chambre, reposée et remise. Elle a pris une décision. Elle ne veut plus coucher avec son mari. C'est terminé. S'il n'est pas d'accord, elle le quitte, lui, ainsi que ses enfants et l'hôtel. Pour démontrer la fermeté de son intention, elle ouvre sa valise sur le lit.

— Je peux travailler ailleurs ! Ils cherchent une cuisinière à l'hôpital, ils seraient contents de m'avoir !

Camille n'a pas le choix, il accepte de se retirer de la chambre conjugale, sans croire une seconde que ce retrait sera définitif. Elle lui jette ses vêtements par la tête, il les ramasse en se demandant où il dormira. Elle a tout prévu. Il est hors de question qu'il occupe un espace destiné à la clientèle, cela diminuerait les revenus ; quand ça l'arrange, elle sait compter, Catherine. Triomphante, elle l'oblige à emménager dans une petite pièce attenante au bar.

— T'aimes ça, les tavernes ? Tu vas être collé dessus !

Dans ce réduit, elle fait installer une commode et un petit lit de fer, grinçant bien sûr, pour savoir s'il y reçoit quel-qu'un, et ordonne qu'on y mette des draps. C'est là qu'il dormira désormais, là et plus jamais avec elle.

La sainte paix ! Grâce à cette providentielle gonorrhée, elle se débarrasse de la présence encombrante de cet homme dans son lit, de son pénis entre ses jambes.

Pour lui enlever toute envie d'y revenir, elle propose à Marguerite, son bras droit, de partager sa chambre. Elle a un grand lit et, à l'hôtel, les places sont comptées. Margot accepte ; de cette façon, elle économisera quelques sous par semaine, qui lui serviront à constituer une dot que ses parents sont trop pauvres pour amasser.

Catherine a trente-quatre ans. Plus jamais de sa vie elle ne verra un sexe d'homme, propre ou sale, gros ou petit, au repos ou en érection. Dorénavant, son imagination furibonde, où les pénis sont de taille démesurée, noirs, gangrenés et menaçants, sera sa seule référence ; ils s'y faufileront, tels des serpents venimeux, et elle les écrasera du pied, à l'exemple de la Vierge Marie dont la statue est exposée dans l'église.

Elle se prive d'une des plus magnifiques énergies du monde, elle veut oublier, nier la plus puissante pulsion humaine. Elle le sait, elle en rage, mais sa colère et sa frustration sont incompressibles, elle choisit de leur tordre le cou, de s'enfoncer dans son refus.

Chère grand-maman ! Trente ans plus tard, elle nous proposera, à ma cousine et à moi, de lui présenter les hommes dont nous ne voulons plus, l'intention avouée étant de les récupérer pour elle, de les manger tout rond, de les croquer comme un ogre, les enfants dodus.

Chère grand-maman frustrée.

16

Nous voici en 1930. Dorothée, la fille aînée de Catherine, au teint pâle et aux yeux noirs, déteste l'école. Elle n'y réussit pas et cela se comprend; dès sa naissance, sa mère l'a destinée à la seconder et fait en sorte qu'elle ne l'oublie pas. Elle lui a appris à coudre, à tricoter, à cuisiner, à broder, et valorise son travail et ses talents domestiques, par ailleurs d'une qualité rare chez une enfant de cet âge. Elle a l'allure d'une petite femme, sait tenir maison — et hôtel! — et n'a aucune curiosité pour d'autres genres de travaux ou de sujets. Elle n'y est pas encouragée non plus. Catherine se plaignant sans arrêt de la quantité de travail qu'elle doit abattre, Dorothée, c'est naturel, exprime le désir de quitter l'école pour aider sa mère.

Camille est tout à fait d'accord:

— Moi, j'ai une troisième année et je gagne ma vie, je vois pas pourquoi elle aurait besoin d'étudier plus.

Catherine le contredit, elle souffre de n'avoir complété qu'une quatrième année.

— Les temps changent. Faudrait qu'elle ait au moins une cinquième.

À la suite de quoi Dorothée se traîne les pieds un an de plus chez les sœurs, pour obtenir le droit, à douze ans, de rester à l'hôtel et d'aider sa mère.

Catherine est heureuse. Dorothée possède tout ce qu'elle attend d'une fille: elle est dévouée, fidèle, serviable, encourageante et soumise. Dans ses rêves les plus fous, elle envisage un avenir d'où Camille est absent. Un jour, béni entre tous, il sera ailleurs et, ce jour-là, Dorothée vivra avec elle, sera son bras droit. Ce jour est lointain. Plus lointain que celui où elle pourra enfin acheter le lustre en cristal qu'elle rêve de suspendre au plafond du hall de son hôtel. Plus éloigné que celui où elle pourra se procurer un service de vaisselle Wedgwood en porcelaine fine, si beau, si cher. Heureusement, la vie est longue pour ceux qui ont de l'espérance et de l'endurance.

Cette même année est le théâtre d'un incident désagréable, qui aura des conséquences imprévues plus tard, beaucoup plus tard.

Le fils cadet, Auguste, attentionné et silencieux, nerveux malgré les apparences, qui sait calculer et qui lave les planchers sans geindre, se fait frapper par une voiture qui entrait dans le stationnement de l'hôtel. Il s'en tire avec une fracture au tibia.

Catherine ne manque pas de le blâmer pour son étourderie, ce qui ne le console pas mais lui apprend, en revanche, à calquer ce comportement avec ses propres enfants plus tard. Je connais le système pour y avoir baigné.

À cet âge, les os reprennent vite ; Auguste ne se promène pas longtemps avec des béquilles, d'autant plus que Régis, son frère aîné, se met de la partie pour lui reprocher sa paresse : c'est qu'il est obligé de se taper le lavage matinal seul, le pauvre.

Quoi qu'il en soit, sa convalescence coïncide avec le moment où son vaillant oncle Lionel se trouve un emploi. Jeune, débrouillard, communicatif, Lionel n'est pas du genre à se faire entretenir par les autres ; il s'est tellement démené pour aider à gauche et à droite qu'il a décroché un poste de chauffeur de camion chez l'un des fournisseurs de l'hôtel. Un beau soir, fier de lui, il annonce à tous qu'il repart en ville.

Et, en guise de merci à sa sœur, à son beau-frère, à ses neveux et nièces, il offre un cadeau à Auguste, l'éclopé provisoire. Il a accepté, un jour, en guise de paiement pour un service rendu à un vieux musicien de Victoriaville, un trombone à coulisse. Il n'est pas musicien, cet instrument est encombrant, alors il le donne à un Auguste étonné et ravi.

À partir de ce moment, l'hôtel retentit de «pouah-pouah» et de «gnin-gnin-pout». C'est Auguste qui s'exerce au trombone, encouragé par Gerry le banjoïste, devenu professeur de solfège pour l'occasion.

La crise se prolonge, les gens s'y habituent. La salle à manger de Catherine acquiert une excellente réputation, en dépit des difficultés économiques. La présence du bar continue à être tolérée seulement, son existence est soumise au bon vouloir des autorités et cette situation rend Camille mal à l'aise. Sans lui, l'hôtel ferait faillite ou tomberait aux mains d'Eudore Fournier, qui y vient régulièrement pour pavoiser, certain qu'un jour ce bâtiment si bien tenu sera le sien. Meilleure est la réputation de l'hôtel, plus intéressante sera la reprise. Alors il emmène du monde au bar, reçoit ses clients au restaurant, vante la qualité du service. Catherine est ravie des compliments; elle ne sait pas qu'Eudore pourrait la chasser de chez elle. Camille baisse la tête; combien de temps réussira-t-il à cacher son secret?

Catherine est d'une propreté méticuleuse. Tout brille, depuis les comptoirs jusqu'aux tables et aux casseroles. Cette exigence a ses avantages. Si, pour quelque raison que ce soit, elle n'aime plus une servante qu'elle a engagée, elle a un truc pour la renvoyer. Elle se rend dans une chambre et essuie la tranche supérieure de la porte avec un linge. Elle revient avec le linge encrassé — qui époussette le haut des portes, je vous le demande? — et sermonne la pauvre fille sur les vertus de la propreté extérieure, reflet de la pureté intérieure, et sur le devoir pour une commerçante et mère de famille chrétienne de veiller à ce que son établissement soit un modèle tous azimuts.

Elle pousse sa manie jusqu'à faire nettoyer la rue en face de son perron. Un jour, en effet, elle s'est avisée que les chevaux qui amènent les voyageurs et clients, quoique fort utiles, ont un désavantage marqué.

— Des vraies machines à crottes ! s'exclame-t-elle.

Or elle ne veut en aucun cas que les visiteurs mettent le pied dans du crottin en arrivant chez elle ou que ses clients en hument durant leur repas. Elle charge Philibert, qui a huit ans, d'une nouvelle tâche, qui s'ajoute aux commissions. Il devra ramasser les tas de fumier encore chauds sur la route de terre devant l'hôtel. Orgueilleux et fier, il déteste ce travail autant qu'on peut l'imaginer. Si Catherine soigne sa propre fierté, elle n'a aucune considération pour celle des autres, et elle est une source intarissable d'occasions de pratiquer l'humilité si chère à notre sainte mère l'Église.

Philibert se console quelque peu quand on lui confie une troisième tâche, plus agréable, celle de faire de la publicité pour le restaurant. Souriant, coiffé, il saute dans les voitures de touristes qui s'arrêtent à la croisée des chemins et leur tend la feuille sur laquelle est écrit le menu de la salle à manger. Ainsi, il partage son temps « libre » entre la publicité et le ramassage de pommes de route. Il en gardera un souvenir indélébile, à partir duquel il forgera un des traits de sa personnalité : il combattra sa sensibilité aux humiliations par une fierté de plus en plus enflée.

Lorsque, sautant sur le marchepied d'une voiture, il se rend compte qu'il a affaire à des anglophones, il leur offre le menu bilingue et leur lance, tout fier, les quatre mots qu'il a appris de Gerry Elliot.

— *Madam, Sir, good dinner!*

Le stratagème réussit. La salle à manger est pleine, surtout les mois d'été.

Chose certaine, Philibert préfère être dehors, il déteste entendre sa mère engueuler son père ou ses frères et sœurs. Quand elle l'appelle, il obéit à reculons par peur d'être puni ; elle trouve toujours un reproche à lui adresser, quelque effort qu'il déploie pour lui plaire.

Un jour, au cours d'une commission, il rapporte les chaussures de sa mère de chez le cordonnier. De jolies chaussures en véritable cuir vert avec des talons fins. Chemin faisant, il en frappe les talons l'un contre l'autre, pour battre le rythme de sa marche. Il n'aurait pas dû. Il remet à sa mère des souliers dont le cuir au talon est plissé et déchiré.

Elle le dispute tant, le traitant de tous les noms, regrettant qu'il soit à ce point imbécile, ignorant et dépensier, qu'il sanglote durant des heures. Et comme il ne veut pas pleurer devant elle, ni se réfugier dans sa chambre — elle l'entendra, on ne peut pas se cacher dans cet hôtel —, il se rend à l'écurie. Et là, la tête contre le flanc d'une jument fatiguée, trop vieille pour renâcler ou hennir de surprise, il rêve pour la millième fois de se sauver de la maison. Qu'elle le cherche et ne le trouve plus ! Qu'elle pleure à son tour !

Et si elle ne s'apercevait pas de son départ ? Il est tellement quantité négligeable pour elle qu'il pourrait disparaître sans provoquer le moindre chagrin. À la limite, elle pourrait être contente de se débarrasser d'un enfant qu'elle n'aime pas !

C'est la faim qui le ramène à la cuisine. Il a peur de la croiser mais elle est partie s'acheter de nouveaux souliers verts. Il est content, elle sera de bonne humeur les deux prochains jours.

17

L'hôtel a un grenier immense, si grand qu'on peut s'y adonner à la course à pied ou s'y promener à bicyclette. Il est parcouru de cordes tendues sur lesquelles les filles engagées font sécher le lavage l'hiver et les lundis de pluie. Derrière les draps, on peut inventer des trajets, se dissimuler, se perdre, jouer au fantôme. Ou à des jeux défendus.

Le grenier est le domaine d'Auguste, le silencieux. Il a treize ans, il y monte pour se rendre aux fenêtres percées dans le toit et examiner les alentours. De là-haut, il aperçoit toute la ville et la campagne environnante. Il voudrait découvrir ce qu'il y a plus loin que cet arbre, que la route de terre, que l'église. Il y a Québec d'un côté et Montréal de l'autre, et après? Où est l'océan? Il a le désir d'aller jusqu'à la mer, où il jouirait de la paix, de l'espace et du silence. Est-ce que Dieu habite là-bas? Est-ce que sa demeure s'étend au-delà de la rangée d'arbres qui s'alignent au couchant?

Pour avoir un panorama complet, celui qu'il contemplerait s'il était en haut d'un clocher, il court d'une fenêtre à l'autre, tentant de joindre dans son esprit les deux images captées dans chacune des ouvertures.

Il rêve de partir. Choisit un côté, change d'idée, se tourne vers l'autre. Puis se sent coupable parce que ses parents ont besoin de lui. Il aime se sentir utile. Il a l'impression de contribuer à l'ensemble, de faire sa part. Plus tard, il sera grand et pourra faire davantage. Quoi? Il ne le sait pas. Davantage.

Il sera un bon chrétien, il n'aime pas pécher, il n'aime pas penser que son âme est sale.

La nuit dernière, il a eu la surprise de se réveiller mouillé. D'un drôle de liquide collant. Pas de l'urine. Qu'est-ce que c'est? Il lui faut poser la question à Régis et Philibert. Est-ce que ça leur arrive?

Une curiosité dévorante au sujet du corps des filles le titille. Obéissant à leur mère, elles cachent la partie située entre le cou et les genoux. Et personne n'en parle sauf pour souligner qu'il faut dissimuler, justement, cet endroit par lequel le péché et le mal s'insinuent. Il y pense, son sexe frémit, chatouille, et il en éprouve du plaisir. Serait-il un pécheur?

Il descend du grenier et, rougissant, hésitant, raconte tout à Régis et Philibert. Le premier ne révèle rien de son sentiment; autant il peut s'étendre sur les matières scolaires, autant il est muet sur ses affaires intimes. Le deuxième est estomaqué; il veut des explications et, puisque ses frères sont incapables de lui en donner, il décide de questionner Camille. Il se rend au bar, suivi de loin par ses frères qui tiennent à être témoins de la scène.

Camille calcule dans son petit carnet noir, suçant le bout de son crayon et inscrivant des chiffres. Il a le front soucieux. Philibert s'avance en se dandinant:

— Papa…?

Camille est insensible à l'angoisse de son dernier fils. Il marmonne sans lever la tête:

— Quoi?

Philibert est incapable de formuler toutes ses questions en une, surtout que son père s'impatiente:

— Dis ce que tu veux, j'ai pas de temps à perdre.

Le pauvre se lance:

— Savez-vous comment les filles sont faites?

Camille, étonné, pose un instant son crayon puis le reprend; il n'a pas le courage de se commettre.

— Demande à ta mère!

Déconfit, Philibert rejoint ses deux frères. Ils parlementent. Catherine sera plus difficile à interroger, ils doivent choisir la question qui provoquera le moins de réactions négatives. Les deux plus vieux discutent, décident, apprennent la phrase au plus jeune et le poussent vers la cuisine ; eux se cachent derrière la porte, à laquelle ils collent l'oreille.

Assise à la grande table peinte en rouge chinois par les bons offices de Marguerite, Catherine prépare son assortiment d'épices : origan, persil, basilic, marjolaine et estragon séchés. Elle éternue, elle a les mains pleines de toutes ces odeurs qu'elle adore. À Philibert qui avance vers elle, elle demande, courroucée :

— T'es pas en train d'aider ton père, toi ?

— On a fini pour aujourd'hui, ment-il, nerveux.

Puis, un brin frondeur, il respire un bon coup, prêt à tout, et envoie d'une traite :

— Maman, comment on fait les enfants ?

Catherine, sans hésitation, lève le bras et lui administre une claque magistrale au visage.

— Petit vicieux !

Philibert se met à pleurer, de surprise autant que de douleur. Régis et Auguste déguerpissent illico de leur poste. Leur mère les entend et court derrière eux, tonnant dans tout l'hôtel, vide en ce début d'après-midi :

— Petits maudits, attendez que je vous attrape ! Vous aurez de mes nouvelles ! Si jeunes, et déjà l'esprit mal tourné de leur père !

En punition au pain et à l'eau dans leur chambre, les trois garçons viennent d'apprendre qu'il est dangereux de poser des questions sur certains sujets. Avant l'heure du coucher, Catherine, bourrue, leur apportera un morceau de tarte au sucre, soi-disant pour finir les restes, en réalité pour se faire pardonner. Elle ne leur révélera rien. Ils en seront quittes pour chercher des images dans le dictionnaire et pour consulter des écoliers plus âgés qu'eux, qui leur raconteront toutes sortes d'histoires invraisemblables, preuve qu'ils n'ont pas, eux non plus, été informés par leurs parents.

On comprend que, dans ces circonstances, Auguste ait continué sa recherche. Ses frères aussi, peut-être. Mais ce genre d'enquête ne se mène pas en groupe et il vaut mieux être discret sur ses tentatives si on veut éviter les taloches.

Obsédé par sa curiosité quant à la façon dont sont faites les filles, il convainc sa jeune sœur Murielle, qui a sept ans, de visiter le grenier qu'elle connaît mal puisqu'elle passe son temps à la cuisine avec sa mère ou Marguerite. Lui tenant la main, il l'aide à gravir l'escalier abrupt.

Gentil, il lui fait faire un grand tour et joue avec elle à la cachette derrière les draps étendus sur les cordes. Murielle est ravie, elle adore son frère Auguste avec qui elle rit beaucoup. Le jeu terminé, il lui propose d'enlever ses bas et sa petite culotte. Elle refuse, sachant qu'il est défendu de se montrer nue devant des garçons. Il n'insiste pas.

Elle redescend à la cuisine et Catherine déduit, à son air, qu'il s'est passé quelque chose. En un instant, elle apprend tout : Murielle n'est ni dissimulatrice ni menteuse. Auguste est de nouveau traité de vicieux. Pauvre lui, il n'avait prévu ni la franchise de sa sœur ni l'intuition de Catherine, qui se révèle d'une qualité supérieure pour ce qui concerne de près ou de loin le sexe. Elle veillera à ce qu'il se confesse et qu'il récite moult chapelets dans sa chambre.

C'est ce jour-là que Murielle découvre qu'elle doit se méfier de ses frères. Quand Philibert, pour les mêmes motifs, tentera de l'entraîner dans l'écurie, elle devinera de quoi il s'agit et se sauvera. Sauf qu'elle s'organisera pour ne pas se montrer devant Catherine, Phil étant souvent puni pour des actes à son avis sans malice, comme de redemander du dessert.

Quant à Auguste, il lui faudra attendre son mariage — c'est ce qu'il raconte, du moins ! — avant d'atteindre, enfin, le but de sa recherche.

18

Dans toute personne, il y a ce que j'appelle un noyau. Un noyau dur. L'endroit où se réfugie son essence, qui mène ses actions, conscientes ou pas. Par exemple, Dorothée se définissait par l'aide qu'elle apportait aux plus faibles, plus occupés, plus malades qu'elle, y compris sa mère, qui a su jouer ce contre-emploi à merveille.

Régis, lui, cherchait du réconfort dans les gestes. Il triturait, démontait les objets, il voulait comprendre l'ordre du monde dans lequel il avait chuté. Il accumulait des pensées de révolte dans un glossaire intime, de peur de s'éparpiller à la suite des nombreux affronts qu'il devait subir et des demandes auxquelles il devait se soumettre.

Auguste était secret. Il ne voulait pas de problèmes, pas de chicanes, pas de réprimandes. Son noyau à lui, c'était la peur. N'étant pas né pour être découvreur, il cessa peu à peu de monter au grenier et troqua son envie d'aventures pour les croyances qu'on lui proposait. Dieu a créé l'Univers et ordonné son fonctionnement ; dès lors, les questions deviennent inutiles. Il entra dans une petite boîte munie d'une lucarne, d'où il avait une vision rassurante et répétitive de son environnement.

Catherine, elle, n'avait pas qu'un noyau. Elle était une véritable grenade, ce fruit d'origine espagnole qui a peu de pulpe — si savoureuse — et de multiples pépins. Un jour, elle était souveraine aimable, le lendemain, pauvresse indignée, le troisième, impératrice orgueilleuse, le quatrième, chercheuse tournée vers la science, enquêtant sur la nature des aliments et des médicaments.

L'hôtel lui offrit l'occasion de se déployer tout entière, fut la scène qu'elle envahit, où elle exprima ses nombreux talents. C'est là, entre ces cinquante pièces, qu'elle exprima toute sa mesure, qu'elle construisit un univers riche, grouillant, sonore, bigarré et agité, parcouru de réseaux où circulaient l'information, l'argent — eh oui, quand même —, les influences, et sur lequel elle fit régner une moralité et une versatilité d'humeur incomparables.

Elle décidait tout, à partir de l'uniforme des servantes jusqu'à la façon de cirer les planchers et combien de fois par semaine. Pour ce qui est du bar, qu'elle ne pouvait régenter, elle prétendait ne pas s'en soucier pour éviter de reconnaître sa défaite sur ce front.

Elle tenait tout et tous sous son emprise, du moins elle s'y employait avec vigueur et habileté. Un seul élément lui échappait, quelque effort qu'elle fît pour l'annihiler, le maîtriser et l'écraser.

Le sexe.

Son intérêt pour le sexe.

La frustration liée au, la curiosité non assouvie envers le, l'envie croissante du, les rêves jouissifs inspirés par le manque de, la cuisante sécheresse de la réalité dépourvue de, l'invention de tout ce qui pouvait mener au, la vision de tous les dangers liés au, la conscience de l'omniprésence et de la toute-puissance du, à tous les moments de la journée.

Ouille.

Pas facile à vivre.

Ce noyau-là prit en elle, le temps qu'elle vécut à l'hôtel, une importance magistrale. Déposé dans une terre fertile, il se déforma, s'ouvrit de travers, donna naissance à des pousses extravagantes et folles, une vigne envahissante, une forêt vierge qui ne cessa de foisonner.

Vivre à côté de Camille, celui par qui son malheur est advenu, celui qu'elle a chassé de son lit, de son entrejambe et de son cœur, lui donne des chaleurs inconsidérées, des flambées de colère, des regrets déchirants et abrasifs, qu'elle se presse de transformer en haine et en mépris pour lui, alors même que son intérêt pour le sexe grandit et s'exaspère. Est-il normal qu'un homme si beau soit à ce point maladroit, stupide et, disons le mot, inepte? Tous les hommes sont-ils de cet acabit? Toutes les femmes sont-elles obligées de subir leurs assauts intempestifs et brutaux, d'être le réceptacle consentant du liquide visqueux qui jaillit inopinément de leur corps? Comment peuvent-elles vivre avec ces limaces velues accrochées à leur dos, ces coups de boutoir aveugles et frénétiques dans leur ventre, ces rires niais lorsqu'ils éjaculent, cet air de béatitude stupide dès qu'ils sont soulagés? Pourquoi ne se révoltent-elles pas une fois pour toutes?

Catherine est agitée sans relâche par ces pensées, par les hommes qui défilent devant elle, par la présence encombrante de l'époux qu'elle a banni.

Tiens, parlons de sa réaction face à M. Gladu, ce voyageur avenant qui vend des tissus.

L'homme a un sourire désarmant, une faconde débonnaire, un entrain rassurant. Catherine s'en méfie d'autant plus qu'on lui donnerait le bon Dieu sans confession. Il est devenu un client fidèle et elle, une de ses meilleures acheteuses. Elle repère les velours épais, les cotons tissés fin, les crêpes soyeux, elle fouille sans arrêt dans son assortiment de boutons et, insatiable, achète les plus beaux. Sitôt qu'il dégotte à Montréal une étoffe chère et originale, il la lui apporte, certain qu'elle s'en saisira avant de la lui négocier serré contre des nuitées et des repas.

Un jour, fier comme un paon, il vient aux Bois-Francs présenter son épouse, née Anna Duclos, à «Mme Pelletier» dont la cuisine est sans égale, si simple et si savoureuse. C'est Pâques; elle lui avait annoncé, pour lui mettre l'eau à la bouche, un plat original de viande sucrée, un mélange ananas, carottes râpées, cassonade et beurre déposé sur une tranche de jambon bien épaisse, le tout servi avec des pommes de terre en purée crémeuse et une macédoine de légumes frais. Sans oublier le dessert ! Elle offrira, entre autres régals, un gâteau Reine-Élisabeth, génoise à la vanille recouverte de sucre à la crème et de noix de coco râpée. Il se réjouit à l'avance de ce festin et il a l'idée, le cher homme, de faire apprécier à son épouse cette cuisine si différente de la sienne, morne et sans imagination.

Or, autant lui est rond et ouvert, autant elle est petite et grise, avec des yeux pâles et un corps fluet, et Catherine a tendance à croire qu'une personne maigre n'est pas en santé, que les femmes minces sont martyrisées, affamées et souffrantes. La pauvre Anna, femme d'Adrien Gladu, est tout de suite étiquetée parmi les femmes à secourir.

— Grosse comme un cure-dent, les yeux délavés, faut pas la laisser dehors, elle part au moindre vent, la décrit-elle à Dorothée.

Son mari, du coup, devient un tortionnaire affamé de sexe — car quoi d'autre qu'un appétit sexuel immodéré provoquerait une telle maigreur ?

— Me semblait qu'il y avait anguille sous roche !

Catherine voulant vérifier ses intuitions, Dorothée reçoit l'ordre d'examiner les draps de lit des époux. Or, ce procédé lui répugne. Sa façon à elle de survivre au milieu de tous ces gens, jour après jour, c'est de respecter leur intimité et de demander la réciproque. Sans force pour affronter sa mère, elle a cependant l'intelligence de ne pas la suivre dans tous ses excès. Elle se garde d'inspecter les draps ; une fois qu'ils sont en bas, dans le panier à lavage, bien malin qui pourrait reconnaître ceux des Gladu parmi les autres.

Catherine, pas battue, passe l'éponge sur « l'oubli » de Dorothée, et attaque à son tour. Le soir du Vendredi saint, en montant se coucher, elle longe le couloir des chambres en silence, ralentit devant la porte des époux et tend l'oreille, incapable de se résoudre à arrêter complètement par peur d'être surprise en flagrant délit. Son expédition n'est pas vaine ; à défaut de constater que les époux font l'amour, elle apprend que M. Gladu est affligé d'une maladie qui atteint plusieurs de ses congénères : il ronfle comme une machine à vapeur. Les soupirs las qui accompagnent ces vrombissements en cascade indiquent que, en plus d'être obligée de se plier aux désirs effrénés de son mari, sa pauvre femme n'arrive pas à dormir deux heures de sommeil réparateur par nuit. Pas étonnant qu'elle soit squelettique et sans énergie !

Dès ce moment, Catherine tente de l'aider du mieux qu'elle le peut, au nom de la solidarité féminine et de la charité chrétienne, les deux vertus combinées exhalant, en toile de fond de l'odeur de sainteté, une délicate odeur de revanche.

La cuisine reçoit l'ordre de donner à madame de généreuses portions et de gaver monsieur de crème fouettée pour l'alourdir, ce qui devrait diminuer ses excès lubriques et précipiter son sommeil.

Dame Anna, qui doit s'expliquer aussitôt qu'elle ne vide pas une des assiettes qu'on lui sert, ne saura jamais pourquoi elle est l'objet de tant de sollicitude. Elle ne comprend pas le regard de compassion qu'elle surprend chez Catherine, si par hasard elle la croise dans le hall. Elle en conçoit pour cet hôtel et sa patronne une si grande amitié qu'elle y reviendra tous les ans en vacances avec son époux.

Le jugement de Catherine sur M. Gladu change radicalement après cet épisode ; de voyageur charmant, fin causeur et drôle qu'il était, il devient un démon corrompu, dont la lascivité, la sensualité et la lubricité sont insupportables. L'amour qu'elle a pour les tissus fins et les boutons n'ayant d'égal que sa répugnance envers le sexe, son revirement d'opinion n'a qu'un effet, celui de la rendre encore plus dure à la négociation.

— Un homme si vicieux ne mérite pas de vendre de si beaux boutons ! conclut-elle pour justifier son intransigeance.

* * *

110

La vie ne cesse de courir, de germer et de foisonner, et Catherine doit bientôt résoudre des problèmes au sein de sa propre famille. Car, côté sexe, il y a péril en la demeure.

Régis et Auguste grandissent, que dis-je, ils sont grands. On leur achète des souliers tous les deux mois, ils ont quatre poils au visage et trois sur la poitrine. Ils sortent de l'enfance, cette période bénie où leur mère pouvait les regarder en n'éprouvant qu'un sentiment de maternité satisfait et l'obligation de les mettre au pas, ce à quoi elle parvenait sans trop de mal.

Mais ils vieillissent. Ils deviennent étrangers. Ils sont à la veille d'appartenir à la race honnie, celle des hommes.

Pourquoi Dieu a-t-il permis que, en dépit de ses prières, ils soient atteints de cette maladie, cette calamité, cette peste presque bubonique? Question sans réponse, si ce n'est que parce qu'il est homme lui-même.

Bref, ses fils ont un pénis qui se tortille comme un ver, avec lequel ils engrosseront des femmes qui subiront des contractions insupportables pour délivrer d'autres êtres munis du même objet, qui agiront de la même façon. Elle exhale mille, dix mille soupirs. Et rage, et casse des assiettes, et rate des sauces au vin et calcine les pommes de terre crémeuses tant elle est mécontente.

Que faire?

Les envoyer au pensionnat pour que ce changement se produise loin d'elle, qu'elle puisse l'oublier, conserver dans son cœur la mémoire intacte de petits garçons inoffensifs? Quand ils reviendront, barbus, poilus, immenses et bombés sur le devant de la culotte, elle pourra les ignorer, les renier!

Le hic, c'est qu'elle a besoin d'eux. Ils lavent les verres, la vaisselle, les planchers, étendent les draps, rentrent le bois durant la corvée annuelle et s'occupent des courses; il faudrait payer un employé pour les remplacer. Ou pire, deux. Elle n'en a pas les moyens. L'hôtel roule depuis quelque temps, l'emprise de la crise se desserre un tantinet, cela ne signifie pas qu'elle a de l'argent à jeter par les fenêtres. En plus, au pensionnat, ils risquent de se gâter, de considérer que tout leur est dû, qu'ils n'ont qu'à ouvrir le bec pour que la nourriture leur tombe dedans, prémâchée. Il faut que des hommes, surtout des hommes, sachent que la vie, c'est le travail et rien de plus. S'ils ont des enfants, il faudra qu'ils gagnent leur croûte à la sueur de leur front, ainsi que Dieu l'a ordonné au paradis terrestre avant de les en chasser.

Tout ça ne résout pas sa lancinante question : que faire ?

C'est qu'elle doit parer à des menaces immédiates et sérieuses.

Elle engage deux filles, jeunes, jolies et propres pour nettoyer les chambres et aider Marguerite, la bonne Marguerite qui est toujours là et qui, si les cochons ne la mangent pas — si elle n'est pas enlevée par un homme —, l'assistera jusqu'à la fin de ses jours. Deux filles, donc, que ses fils reluquent du coin de l'œil, qu'ils taquinent avec plaisir. On aurait pu croire que Philibert, le dernier, attendrait un peu avant de se dévergonder, mais non, il est précoce là comme ailleurs, le petit débauché.

Oui, les filles engagées. Si un incident malheureux se produisait entre un de ses fils et une de ces employées, ce serait la honte. Elle en rougit, elle en tremble d'appréhension. La réputation de l'hôtel, qu'elle a mis si longtemps à établir et qui est reconnue au point où plus un couple illicite ne se présente au comptoir, serait perdue. La renommée de l'hôtel entachée, c'est la clientèle qui s'enfuit et, avec elle, l'argent, la survie. Horreur ! Tout cela à cause de petits pénis qui deviennent grands et méchants.

Georges les a quittés, un problème de réglé. Un de moins à surveiller. Il était plus Pelletier que Pelletier, avec cette jasette et ce sourire enjôleur auxquels aucune fille ne résistait. Il a rejoint sa tribu à Saint-Norbert en emmenant Lydia. À vingt ans, après une onzième année, il était capable de subvenir à ses besoins. Lui et sa sœur n'ont pas sombré dans la misère, leur oncle les a recueillis et a donné du travail à Georges. Il paraît qu'il se débrouille bien, tant mieux pour lui. Et que Lydia est courtisée par un jeune homme. Le pauvre ignorant. Il ne devrait pas épouser une femme de santé si délicate, elle sera incapable d'élever ses enfants.

Ça laisse les trois autres garçons, les siens. Elle doit les garder à vue, contrer leurs désirs naissants, leurs instincts en éveil, leurs envies puissantes. Des poulains lâchés dans un champ ouvert !

Elle désespère, se lamente, rate de plus en plus de sauces et de purées jusqu'à ce qu'elle feuillette un catalogue de chez Dupuis Frères où, miracle, elle découvre ce qu'il faut. Des soutiens athlétiques, communément appelés *jackstrap*. Si ça ne les sauve pas du péché, ça préservera au moins les apparences ; ils ne se mettront pas à grossir, à bourgeonner, à bander, quoi, devant les filles, devant les gens, devant toute la ville.

Elle en commande six. Deux pour chacun de ses fils. Elle les reçoit. En vérifie la solidité. Oui, ça ira. Ce n'est pas l'idéal ; dans ces matières, rien n'est parfait de toute façon. Si leur pendrilloche frétille un tant soit peu, au moins ils seront les seuls à s'en apercevoir, et la ceinture les rappellera à leur devoir de chrétien qui ne doit avoir ni relations coupables ni pensées charnelles avant le mariage. L'idéal, évidemment, serait que la chose gigoteuse disparaisse. Qu'on ne la voie pas. Qu'on n'y pense plus. C'est impossible, la Terre est un vaste bouge sans ordre ni sens.

Un soir, sans frapper, elle entre dans la chambre de ses rejetons, leur lance sans délicatesse les six soutiens sur le lit et, intimidée par sa requête, leur ordonne :

— À partir de demain, vous porterez ça tous les jours. Sinon vous aurez affaire à moi.

Et elle sort, satisfaite du devoir accompli. Elle leur a dispensé son premier et dernier cours d'éducation sexuelle.

Les garçons haussent les sourcils, interloqués. Philibert doit se faire expliquer par ses deux frères de quoi il s'agit. Il est le petit à qui on ne révèle rien et qui doit négocier avec aplomb pour être traité à l'égal des autres. Lui n'a pas senti de changement dans son état — à peine s'il sait qu'il aura du poil — et il est content de recevoir ces drôles d'objets par la tête ; c'est la preuve qu'il vieillit.

Régis et Auguste, surpris de l'ordre reçu de leur mère, ne s'en plaignent pas ; ils ont appris à ne pas discuter avec elle. Ils lui obéiront. Philibert les imitera, comme un grand. Ils s'habitueront à avoir les couilles serrées et le pénis écrasé. À chacun son corset, n'est-ce pas ? Il eut été étonnant qu'elle épargnât à ses fils les tortures qu'elle subissait.

Chère Catherine. En obligeant ses fils à porter cette cuirasse élastique, elle atteindra un résultat diamétralement opposé à celui qu'elle souhaitait. Avec l'appareil génital si comprimé qu'ils en sentent la moindre réaction, leurs désirs sexuels, loin de s'atténuer, atteindront des sommets inégalés.

C'est la preuve par trois que le mieux est l'ennemi du bien.

* * *

Si Catherine est rongée par la frustration sexuelle, elle l'est tout autant par l'ambition. Une ambition qu'elle juge naturelle, noble et juste, qui la pousse à vouloir se hisser jusqu'à sa véritable place, celle que commandent sa culture et son intelligence, en un mot, sa supériorité. Quand on ne voit autour de soi que des gens qui s'habillent d'une façon quelconque, qui n'ont aucune créativité en cuisine, dont la pensée est arrêtée et sans relief, il est naturel d'essayer de les tirer de leur torpeur et de leur ennui. À commencer par Camille.

Elle n'a pas renoncé à le convertir à sa religion du bon goût sauf que, à partir de la crise, elle n'apporte plus aucune patience ni aucun doigté à cette entreprise, qu'elle n'exécute que dans le mépris.

— Je peux pas croire que j'ai marié un homme aussi borné !

Elle s'emploie à ce que tous soient de son avis, y compris ses enfants, à qui elle raconte n'importe quoi pour les convaincre du bien-fondé de son jugement. Elle travaille et il paresse; elle blanchit les draps, il les salit; elle attire les clients, il les enivre; elle décore, il fait grisonner les murs avec la fumée de sa pipe; elle s'habille en reine, il porte des bretelles et ainsi de suite. Selon elle, Camille n'a rien d'enviable, ne fait rien de correct — hormis gagner de l'argent, ce dont elle profite mais qu'elle ne reconnaîtra pas.

Elle est consciente que son intelligence, son charme, sa beauté, son port altier et son savoir-vivre lui donnent un avantage marqué auprès des clients. C'est à elle qu'ils vantent leurs nouveaux produits, se plaignent de leurs problèmes personnels, avec elle qu'ils discutent de l'état du monde ou des progrès de la science; elle est généreuse de son temps, de ses idées, de ses suggestions et de ses connaissances. Elle s'intéresse aux nouveaux instruments ménagers, au lait en poudre, aux réfrigérateurs électriques, aux poêles et au chauffage à l'huile, à la pasteurisation, à l'eau potable, aux canalisations qu'on installe dans les villes, aux trottoirs qu'on y construit, à l'inauguration du pont Jacques-Cartier, si beau avec sa structure de métal pointue, aux voitures de plus en plus nombreuses, au cinéma parlant, à la naissance des jumelles Dionne, au téléphone, cette invention qu'elle a hâte d'avoir chez elle. Curieuse de tout, elle est une interlocutrice d'une qualité rare.

Avec les années se forme autour d'elle une petite cour de clients qui logent aux Bois-Francs pour le plaisir d'échanger avec la patronne des propos hors de l'ordinaire. Et de contempler ce sourire ouvert, large, généreux, dans ce visage rond aux yeux brillants.

Une beauté, Catherine.

Elle coud ses robes et en profite pour se fabriquer des modèles originaux dans les plus beaux tissus, qu'elle ajuste de telle sorte qu'ils lui vont à ravir.

On pourrait écrire des livres entiers au sujet de ses chapeaux, ravissants, imposants, visibles, qu'elle commande à cause de son tour de tête supérieur à la moyenne. Ils sont rouges, noirs, gris, blancs ou verts, à large bord, en paille ou en feutre, décorés de rubans, de fleurs, de voilettes, d'aigrettes ou de plumes. Le moins qu'on puisse affirmer, c'est qu'elle n'a pas peur d'attirer les regards. Et puis cette femme frustrée, à la fois pudibonde et séductrice, porte des décolletés à vous faire tourner la tête. Je ne l'ai jamais vue, en photo ou en personne, qu'avec la naissance des seins dévoilée, arrondie par le corset. Et sur la gorge elle arbore de lourds colliers colorés, montés avec des pierres de qualité.

Une maîtresse femme.

C'est Philibert qui la dote de son plus beau nom, celui qui décrit le mieux son attitude en ces années où elle est hôtelière, entourée de gens qui rient de ses blagues, se confient à elle, discutent littérature — elle lit Lamartine et George Sand, bien qu'elle n'ait qu'une quatrième année —, cherchant son approbation, ses conseils, son opinion et lui apportant de petits cadeaux d'estime. La voyant trôner, altière, au bout de la table de la cuisine où la famille et les pensionnaires se réunissaient pour manger, ou au comptoir, entourée des voyageurs qui l'adulaient, il lançait tout haut:

— Tiens! La duchesse et sa cour!

Ce nom lui est resté.

Pas la comtesse, la duchesse. Elle aurait détesté qu'on l'appelle comtesse parce que, pour elle — Dieu sait pourquoi —, ce titre est porté par des femmes de mauvaise vie, qui vendent leurs faveurs aux hommes. Pour la «duchesse», elle était d'accord.

— La duchesse des Bois-Francs!

Elle souriait, heureuse. Quelqu'un avait saisi sa véritable nature.

19

La crise dure. Trop longtemps.

Après deux ou trois ans, Catherine et Camille s'y habituent. Ils ont des pensionnaires qui leur apportent des rentrées régulières d'argent, les enfants sont habillés, les plus vieux donnant leurs vêtements aux plus jeunes s'ils ne sont pas trop usés. Catherine a un faible pour les filles, elle trouve le moyen de leur confectionner à chacune des robes dans des tissus neufs pour les grandes occasions.

Autour d'eux, tous ne connaissent pas le même sort. La gentille Irma, qui a perdu un peu de sa timidité et se cache moins derrière ses carottes, se présente en pleurs régulièrement. La banque a refusé un prêt à son père, sa situation a périclité, il a déclaré faillite et a dû brader sa ferme et ses vaches laitières à un prix ridicule. L'acquéreur, qui ignore tout des animaux et de l'agriculture, l'a engagé pour travailler à salaire sur la terre qui l'a vu naître et grandir. Il déteste cela et cherche autre chose. Il a de multiples talents, celui d'être un menuisier, par exemple. Irma est donc obligée de vendre les légumes du nouveau maître à bord.

— C'est pas pareil. Mon père va partir aussitôt qu'y va pouvoir !

— Pauvre fille, commente Catherine, si compatissante qu'elle en oublie de se moquer.

Faisant corps contre l'adversité, Camille et Catherine se tirent d'affaire grâce à leur travail constant et aux multiples petits revenus qu'ils grappillent à droite et à gauche. La vie n'étant pas avare de surprises désagréables — selon l'expression de Catherine —, une nouvelle tuile leur tombe sur la tête.

Cette fois, elle provient du gouvernement qui, c'est connu, prend des décisions à l'envers du bon sens. Le christ... de gouvernement — il est interdit de jurer, dixit Catherine! — décrète que, pour régulariser le commerce d'alcool, il vendra désormais des permis.

Jusque-là, tout va. Cette directive aidera les détaillants à sortir de la zone grise où ils sont cantonnés. Le hic, c'est que les permis seront accordés aux hôteliers à la condition qu'ils possèdent un minimum de vingt-cinq chambres, et l'hôtel des Bois-Francs n'en a que quinze!

Devant la gravité de la situation, Catherine range sa mauvaise foi au placard et discute avec Camille, exercice auquel elle ne s'est pas astreinte depuis des lustres. Les époux débattent la question. Cesser de vendre de l'alcool est impossible, l'hôtel ne survivra pas, c'est sa plus lucrative source de revenus. Sauf que dix nouvelles chambres, ça ne se construit pas dans les culottes d'un ange. Où les placer?

Après avoir tergiversé, envisagé de construire une autre section près de l'écurie, calculé ce que coûterait d'agrandir carrément sur un côté, supputé les conséquences d'un déménagement de la famille ailleurs que sur les lieux, ils en arrivent à la solution la plus simple, la plus économique. Pour construire les chambres manquantes, ils récupéreront, au deuxième étage, l'espace occupé par les membres de la famille et les employées. Ceux-ci devront dès lors déménager au grenier, sous les combles, où on érigera des cloisons pour diviser l'espace. On installera des lits et des commodes, et le tour sera joué!

La duchesse fait sa part, elle sacrifiera sa grande chambre pour s'en créer une sous le toit. Camille propose illico de l'y rejoindre et de mettre en location son réduit du rez-de-chaussée, «sacrifice» qui aurait pour effet d'économiser la construction d'une pièce. Catherine l'a vu venir, elle ne cède pas ; elle ne veut plus coucher avec lui, point à la ligne.

Le ton monte d'un cran au moment où les époux abordent les questions d'argent. C'est qu'ils n'en ont pas. Pas un sou vaillant pour effectuer les travaux. À quoi sert d'avoir des projets qu'on ne peut pas réaliser ? Catherine examine les sources de revenus possibles et se déclare impuissante. Camille jure qu'il se débrouillera, en déposant d'abord une demande de prêt à la banque.

Catherine se moque de lui ; pourquoi sa démarche serait-elle acceptée ? Il la rassure, il a confiance, il est convaincu de son succès. Catherine insiste. Elle le cuisine tant que, à bout de résistance, il lui avoue la possibilité de retourner emprunter chez Eudore Fournier, lui révélant du même coup qu'il lui doit déjà une somme coquette. Catherine découvre soudainement la raison pour laquelle l'industriel se sent chez lui, chez elle.

La voilà furieuse une fois de plus. À sa colère s'ajoute sa peur de l'avenir pour elle et ses enfants. S'ils perdent leur gagne-pain aux mains d'Eudore à cause de ce qu'elle appelle « cette idiotie », que deviendront-ils ? Sa colère dégénère en hystérie, en un torrent de larmes, de gémissements, de douleurs, de regrets, de griefs contre Dieu et les hommes. Elle s'enferme dans sa chambre, où elle reçoit moult consolations de Dorothée et de Marguerite, qui ont apprivoisé ses crises et connaissent la façon de les traiter.

Après avoir été recluse trois jours, avoir refusé de manger, de dormir, de parler et presque de pisser, elle reparaît à la cuisine, victorieuse. Elle a profité de sa retraite pour dessiner un plan des aménagements du deuxième étage, si précis que les ouvriers pourront s'y fier en construisant les nouvelles chambres.

À l'aide de l'argent de Fournier, avec M. Turgeon, le père d'Irma, en tant que menuisier, les travaux sont entrepris. Deux mois plus tard, la famille au grand complet ainsi que les filles engagées — mais sans Camille — montent aux combles.

On y accède par un escalier étroit et raide, enserré par deux murs, que Catherine a du mal à gravir en raison de sa corpulence. À une extrémité, là où de petits carreaux vitrés donnent sur la rue, elle se fait aménager un vaste espace dans lequel elle installe deux lits, un pour elle et le second pour Marguerite, qui partage encore sa chambre. Les trois garçons ont un dortoir sans fenêtre ; le toit est si peu isolé que, de l'autre côté du muret vertical à la tête de leur lit, ils voient le jour et sentent le froid entrer pour leur glacer les os, l'hiver.

Pour ce qui est des filles, Catherine a résolu que Dorothée et Murielle dormiront ensemble, et fait construire une chambre collée à la sienne. Pour Maria, elle n'a rien trouvé de mieux que de planter un lit et une commode dans l'espace non délimité qui subsiste, sans ouverture non plus. La pauvre vivra là les heures les plus angoissées de sa vie, accumulant les cauchemars inspirés par sa peur maladive du noir. Chaque fois que l'un de ses frères ou sœurs se rendra au poêle, la nuit, pour y ajouter du bois, elle se réveillera en sursaut, cessera de respirer, scrutera l'obscurité en s'aplatissant sur son matelas et ne se rendormira qu'après avoir pleuré un bon coup.

Il faut aussi aménager deux chambres pour les filles engagées. Catherine fait dresser les cloisons près de celles du dortoir des garçons ; ordre est donné et répété et répété de ne pas circuler d'une chambre à l'autre et de se cacher en se déshabillant.

La surface qu'ils occupent, tous ensemble, s'étend sur une moitié du grenier, la deuxième étant réservée au séchage des draps et des vêtements.

Récompense de tous les efforts, le permis de vente d'alcool est délivré. Le bar peut avoir pignon sur rue et la salle à manger offre enfin une carte des vins. Catherine jubile. Son établissement monte d'un cran dans l'échelle du goût et de l'estime publique.

Une nouvelle routine s'installe.

À leur arrivée, les voyageurs sont reçus par Camille, qui va les chercher au train si nécessaire. C'est le seul contact qu'ils auront avec lui, à moins qu'ils achètent une consommation. Par la suite, c'est Catherine qui les prend en charge, les dorlote, les nourrit, converse avec eux et reçoit leur argent.

Camille continue à percevoir les revenus du bar. Il en aura plus qu'elle, mais ne saura jamais combien. S'il tient au cent près le bilan de ses traites et de ses dettes, il ne se soucie pas de dresser une comptabilité exacte de ses revenus. Ce qui permettra à tout le monde de se servir dans son tiroir-caisse à son insu, les enfants, pour leurs petites dépenses, et Catherine, pour toutes sortes de raisons sages et folles.

C'est un tenancier modèle. Il chouchoute ses clients et pour cela, il joue aux cartes avec eux. À l'argent. Oh! avec des sous noirs! Mais toute la journée, ce que Catherine réprouve.

— On travaille la broue dans le toupette et toi, tout ce que tu trouves à faire, c'est de jouer aux cartes!

C'est la vision qu'il a de son rôle d'hôtelier: recevoir les clients et divertir ceux du bar, où il réussit désormais à garder un ordre relatif, insuffisant au goût de Catherine qui l'invective:

— Toi et tes maudits buveurs de bière *(Elle a le droit de jurer, contrairement à lui)*, avec leurs bottes pleines de neige! Sont pas capables d'être propres?

Imperturbable, il continue. De toute façon, soyons honnêtes, s'il voulait se rendre utile ailleurs, elle l'en empêcherait.

Le soir après le repas, Régis, Auguste et Philibert font leurs devoirs sur la grande table rouge; ils les interrompent pour laver et essuyer les verres que leur père rapporte du bar, puis les reprennent. Ils attendent l'heure de la fermeture pour se coucher, se relèvent le lendemain à l'aurore et nettoient les planchers avant d'entreprendre leur journée d'écolier. En dépit de cet horaire astreignant, ils réussissent.

Catherine envoie Murielle à l'école. Elle avait si peur pour la santé de sa petite dernière qu'elle l'a gardée un an de trop à la maison. L'enfant n'a pas protesté, s'est laissé cajoler par l'un et par l'autre, s'est amusée à courir dans les escaliers, a proposé des poupées aux voyageurs qui la trouvent charmante et drôle. Elle a du talent pour la musique. Elle parvient à tirer des accords de l'accordéon de sa mère, à s'accompagner dans des mélodies qu'elle fredonne tout bas. Pour encourager son talent, Catherine lui achète un piano d'occasion. Quand il arrive à l'hôtel, imposant, droit, Murielle s'y assoit. Les souvenirs qu'elle gardera de sa jeunesse à l'hôtel tournent en majorité autour de ce piano, sur lequel elle travaille d'innombrables heures pour échapper aux tempêtes qui bouleversent les gens de la maison.

Maria, elle, a été oubliée par les fées, semble-t-il ; elle n'a reçu ni don ni grâce à la naissance. De tempérament, elle est sensible, influençable et entêtée, ce qui la rend lente dans l'action. Elle a compris qu'elle ne doit pas figer pour ne pas s'attirer les foudres de sa mère, alors elle s'active. Elle époussette, range les tiroirs, plie les serviettes avant de les empiler dans l'armoire, repasse les draps et les taies d'oreiller, qu'elle brûle parce qu'elle oublie les fers sur le poêle. À onze ans, elle est distraite, désireuse d'être ailleurs, de vivre autrement, d'avoir une mère qui l'aimerait, peut-être. Elle s'interrompt quelquefois au milieu d'un geste et fixe le vide devant elle. Catherine la croise, un torchon à la main, statufiée au centre du salon, en face d'un meuble, et l'apostrophe.

— Maria, réveille ! Elle s'époussettera pas toute seule, la table !

Alors elle se ressaisit et passe sa guenille. Trois minutes plus tard, devant le comptoir du hall, elle redevient immobile, silencieuse. Cette fois, c'est Dorothée qui survient et qui lui lance :

— Maria ! C'est pas pour demain, c'est pour aujourd'hui.

Car Dorothée, à présent, se moule à sa mère, son modèle, son exemple. Elle reconnaît la supériorité de cette femme, véritable louve avec son clan, qui ne recule devant rien pour nourrir sa maisonnée, mener une vie intéressante, assouvir sa curiosité et se distinguer des autres. Elle l'imite en tout, et il y a quelque chose d'étrange à l'entendre, à seize ou dix-sept ans, répéter mot pour mot les paroles de Catherine, adopter ses comportements avec ses frères et sœurs.

— Régis, tais-toi, tu sais pas de quoi tu parles! Auguste, tes souliers sont crottés! Philibert, arrête de faire le fou!

C'est Régis qu'elle préfère. C'est celui dont elle est le plus proche. Est-il inquiet et angoissé quant à l'avenir? Elle le soutient, l'encourage. Accepte-t-il mal l'attitude de Catherine envers Camille et les préceptes de la religion? Elle le réprimande.

— Tranquillise-toi!

Un jour, Maria, qui entend régulièrement sa mère maugréer et jurer à tous vents — sauf devant les clients —, décide de s'essayer à son tour à ce jeu qui a l'air d'être, sinon amusant, du moins libérateur. À Marguerite, qui lui demande pour la troisième fois de nettoyer la table de la cuisine, elle lance:

— Mange de la marde!

Elle se souvient encore de la gifle qu'elle a reçue et qui lui a fait enfler la joue à un point tel qu'elle a été incapable de parler pendant deux jours.

— Tu vas cesser de dire des gros mots, a décrété Catherine.

— T'es mal élevée, a ajouté Dorothée.

C'est ce jour-là que Maria découvre qu'elle n'a pas d'allié chez elle et que, dans la vie, certains sont condamnés à se cacher dans les coins tandis que les autres prennent toute la place, que la possibilité de défier l'autorité n'est pas accordée également à tous et que rien, même pas la parole, ne lui sera laissé pour s'exprimer.

Les trois garçons, de leur côté, se tiennent ensemble, tout les y porte. Régis aime étudier, il a des projets; l'architecture, la mécanique et les moteurs l'attirent, la façon dont les petites pièces s'emboîtent les unes dans les autres pour faire avancer des roues qui supportent un poids énorme ; il est habile en tout. Catherine lui conseille de devenir dessinateur industriel. Il en rêve.

Philibert est incapable de dissimuler sa peine aussitôt qu'il en a, et il en a souvent. Il est mû par le sentiment d'une grande injustice. Il parle, résiste, affronte ses parents, perd la bataille, se sauve en pleurant, court s'appuyer le front contre un cheval, revient se faire consoler par Marguerite puis, puni, demeure dans sa chambre des heures... avec un bon morceau de gâteau. C'est le plus charmant des fils, celui auquel personne, ou presque, ne sait résister. De tous les garçons, c'est celui qui ressent le plus l'absence d'argent, de permissions. Il souffre de ne pas pouvoir s'amuser avec ses camarades de classe. Cela l'humilie.

Un jour, en hiver, il décide de satisfaire une envie qui le tenaille, celle d'avoir des patins. Il déniche des lames qu'il visse à de vieilles bottines, et le tour est joué. Rien d'élégant, mais ça glissera. Catherine rit de lui :

— Tu vas te casser la margoulette !

Pas question qu'il s'ébatte à la patinoire municipale, ses parents refusent de lui donner des sous. Ils lui interdisent aussi la rivière. En somme, ils lui permettent de patiner tout en ne lui laissant aucune possibilité de le faire. Il brave l'interdit. Il vole des minutes, des demi-heures entières pour glisser sur la surface irrégulière du cours d'eau gelé et, un jour, il bute contre les parois d'un trou. Il tombe de tout son long, le menton sur la glace, et se casse une incisive.

Devant sa « baboune » enflée, Catherine lui annonce que, en guise de punition pour sa désobéissance, il gardera cette dent amochée pour la vie.

Il a un tel besoin de liberté qu'il retourne à la rivière avec son sourire ébréché. Le gérant de la patinoire publique, qui le voit s'entêter, décide de se payer sa tête et lui propose un marché. En échange d'un service, il aura la permission de patiner sans payer durant une semaine. Philibert accepte, tout heureux à la perspective de partager les jeux des garçons de son âge. Il s'agit de prendre livraison de « peinture à carreaux » chez un marchand dont le magasin est situé près de la gare. La peinture en question est soi-disant destinée à diviser la patinoire en trois parties.

Et Philibert vole là-bas, un mille plus loin, bonne distance pour un gamin. Le marchand de peinture, complice du gérant de la patinoire, l'informe que ladite peinture n'est pas tout à fait prête et lui demande de revenir. Il l'encourage : la fameuse peinture, qui permettra aux patinoires de campagne d'économiser du personnel, sera mise au point d'ici quelques jours, deux, trois au plus. Et Philibert va et vient, retourne et revient entre la patinoire et le magasin de peinture, jusqu'à ce que le marchand lui annonce en riant que les recherches sont interrompues et que la peinture ne sera pas produite. Philibert blêmit, se rend enfin à l'évidence : la peinture à carreaux ne peut pas exister.

Il se vexe et en veut à ses tortionnaires. Finalement, puisqu'on lui permet de glisser sur la patinoire de la ville toute une belle semaine, il avale la couleuvre avec plus d'aisance. Il se garde de raconter sa mésaventure à la maison ; une humiliation, passe encore ; deux, c'est trop.

Les garçons, devenus forts, sont appelés à effectuer d'autres travaux. Toutes les semaines, désormais, ils remplacent les filles engagées pour monter les lourds paniers de draps mouillés au grenier ou les sortent pour qu'ils soient étendus dehors — ce qui leur procure l'occasion d'être informés de l'existence des menstruations qui empêchent les filles de travailler à l'extérieur. À l'automne, ils rentrent et empilent une montagne de bois dans la cave qui, haute de huit pieds, en est remplie jusqu'au bord. L'hôtel brûle une centaine de cordes chaque hiver. Jusqu'au moment où Catherine achète un poêle au propane, ce qui allège la corvée.

Le seul temps où leurs parents s'entendent, c'est pour leur refuser des sorties. Pas de baseball, pas de randonnées, pas de voyages avec leur classe, aucun loisir sinon les rares qu'ils ont à l'hôtel, rien qui soit de l'ordre de la satisfaction de leurs désirs personnels. Ce sont les volontés des parents qui ont la priorité en tout et pour tout. Alors ils étouffent leurs envies en rageant ou ils tâchent de les oublier, de les dénigrer et de se conformer à ce qu'on exige d'eux.

Les enfants de Catherine et Camille ont d'autant moins d'espace pour s'exprimer que, désormais, entre leurs parents, la querelle est continuelle.

Tout est sujet de dispute. Les denrées, les fournisseurs, l'éducation, le traitement accordé aux voyageurs, la propreté, le prix des chambres, celui des repas. Catherine tempête, Camille fait le dos rond en attendant que l'orage meure. Si, par hasard ou par besoin, il se présente à la cuisine, il est reçu avec des assiettes décochées à la volée. Elle est si habile qu'elle réussit à les enfiler entre les barreaux verticaux de l'espace d'aération pratiqué dans la porte battante.

Zing! Zing! Quand elle voit Camille arriver, elle s'arme d'une assiette et gueule en la lui jetant par la tête :

— Je veux pas que tu viennes salir ma cuisine, maudit cochon !

Un jour, Camille décide de ramener le bon sens dans sa maison. Après tout, il paie l'hôtel, il en est le propriétaire, cela lui confère le droit d'y être partout chez lui. Il décide d'affronter Catherine là où elle a établi son fief, derrière ses fourneaux, dans sa cuisine. Il n'est pas sitôt entré qu'il se rend compte qu'il a choisi un très mauvais jour. On est en juin, il fait chaud pour la saison, elle est au poêle et s'éponge continuellement le front.

Il commence à parler, elle refuse de l'écouter. Mû par ses résolutions, il insiste, lui demande de cesser de crier, d'être raisonnable. Elle ne le laisse pas poursuivre, saisit un couteau à viande et l'en menace. Il la brave, lui suggère d'arrêter ses simagrées. Elle avance vers lui, bras levé, déterminée à le chasser.

Auguste, qui range des provisions dans le garde-manger, a peur que la situation dégénère. Il rejoint sa mère et lui attrape le bras. À quatorze ans, s'il est fort, il est aussi timide. Avec son geste mal mesuré, il la blesse au visage. Le couteau qu'elle dirigeait contre Camille est revenu sur elle et l'a coupée à l'arcade sourcilière.

À la vue de son sang, elle retourne sa fureur contre son fils, le pauvre, qui se confond en excuses, et le poursuit autour de la table. Cette fois, c'est Camille qui la saisit par-derrière et lui fait lâcher son arme.

— Ta mère est folle, dit-il à Auguste pour le consoler, en abandonnant le champ de bataille.

Catherine reprend rapidement ses esprits et assène à son fils :

— T'auras pas de dessert pendant deux semaines !

Il s'en fiche. Il en a assez. Il veut partir de chez lui. Plus il vieillit, plus il a horreur des disputes, des bagarres, de tout ce qui ressemble de près ou de loin à de l'opposition. Autour de lui, il souhaite la paix, le silence, l'ordre et l'harmonie qui règnent dans son âme durant ses prières.

Le lendemain, il annonce à ses parents qu'en septembre il entre chez les frères du Sacré-Cœur.

20

Incapable d'envisager la perte d'un de ses enfants, Catherine entreprend de détourner Auguste de sa vocation.

Elle essaie d'abord d'user d'autorité, lui ordonnant d'attendre un an, de réfléchir davantage, lui rappelant que son premier devoir est envers sa famille. Peine perdue, Auguste se bute. Il connaît l'entêtement de sa mère et son incapacité à lâcher prise ; poussé par son instinct, il adopte l'attitude la plus propice à la désarçonner, il se tait.

Devant l'insuccès de sa première tactique, Catherine en adopte une deuxième, elle le ridiculise :

— Penche la tête, baisse les yeux et dis le bénédicité ! Quand le plat passera devant toi, laisse les meilleurs morceaux à tes frères et sœurs ! Habitue-toi ; au noviciat, c'est ça qu'ils vont te demander !

Le sachant fier, elle en remet :

— Pauvre petit garçon ! Te vois-tu avec une croix pendue à ton cou pour le reste de ton existence ? Et des pellicules sur les épaules ?

Il ne fait pas écho à son rire. Sans éclat, replié sur lui-même, il ne bouge pas d'un iota ; il a du caractère. Catherine ne l'a pas saisi parce qu'elle confond la force de caractère avec la capacité de s'exprimer haut et fort ; or, Auguste ne parle pas. D'ailleurs, il s'étonne de sa résistance et en déduit que Dieu, avec qui il entretient des rapports suivis, l'aide à affermir sa volonté. Il ne sait pas qu'il est malheureux et ne supporterait pas de s'en apercevoir ; un enfant est censé aimer ses parents et les honorer sur cette terre. Alors il croit, oui, qu'il les aime de toute son âme, ce qui ne l'empêche pas d'être ébranlé et bouleversé par la violence de sa mère. En garçon mesuré, il souhaiterait qu'elle réfléchisse, qu'elle reconnaisse ses exagérations, qu'elle s'amende. Chaque fois, il est déçu : loin de s'améliorer, elle s'enfonce.

Il veut déchiffrer un jour l'intention de la Providence qui, en permettant que déferlent sur eux des humeurs si exaltées, furieuses et dérangeantes, révèle une drôle de façon de prendre soin de ses enfants. Pour l'instant, il est face à ce mystère obtus et c'est une des raisons qui le poussent à partir.

Trente ans plus tard, un de ses fils suivra ses traces, entrera au noviciat, portera la même ridicule croix à son cou pour des raisons similaires. Bascule du destin, qui reproduit sans imagination les comportements des parents et des enfants.

Pourquoi, tant qu'à se mettre au service du Très-Haut, n'a-t-il pas choisi la prêtrise ? Parce que les frères sont plus accessibles, qu'ils n'ont pas de confessions à entendre, que leurs études sont plus courtes et qu'ils vivent plus dans le monde. La perspective de ne pas avoir de femme et d'enfants l'attriste, il est attiré par les filles et c'est réciproque. Il regrette à l'avance de ne pas faire l'amour durant sa vie, sauf que sa mère aborde ce sujet avec tant de mépris qu'il se sent coupable de son regret. Il est possible, après tout, qu'elle ait raison et qu'il s'épargne de grandes souffrances en devenant frère. La gravité est une émotion lourde pour un garçon de quatorze ans ; Auguste est grave, et cela aussi le pousse au noviciat.

Régis, le frère aîné, est stupéfait de la bravoure du cadet. Lui, dès ses premières années d'école, a rêvé d'enseigner. Dans ses songes les plus fous, il s'imagine devant un tableau noir, s'adressant à des élèves heureux de partager ses inquiétudes, son expérience et son bagage de vie. Sachant que ses parents refuseront de payer pour ses études, il a conclu que le seul moyen de devenir professeur est d'entrer dans une communauté enseignante. Il n'a pas eu le courage de se décider, encore moins celui de l'annoncer à ses parents. Maintenant qu'Auguste a brisé la glace, a ouvert la porte, il se sent la force de leur dévoiler son choix en tremblant : à l'exemple de son jeune frère, il portera la soutane noire et la bavette amidonnée.

Pour le coup, Catherine perd conscience et s'effondre sur le plancher de la cuisine. Un garçon, c'était trop ; deux, c'est insupportable. Auguste et Régis veulent appeler le médecin ; Dorothée les calme, sort les sels et les fait respirer à sa mère. Revenue à elle, Catherine n'est même pas relevée qu'elle menace de mourir de chagrin ou d'une crise de cœur et rend ses fils responsables du tort que cela causera à toute la famille. Elle disparue, qui prendra soin des autres ? Qui dirigera l'hôtel, qui générera de l'argent ? Pas Camille, c'est sûr ! Y ont-ils pensé, dans leur égoïsme mâle ?

Son chantage ne produisant pas l'effet désiré, elle pique une crise d'hystérie. Fabriquer des enfants avec sa chair et son sang pour les perdre quinze ans plus tard, quelle injustice ! Peiner, suer et ahaner pour les moucher, les changer de couche, les laver, les torcher et devoir, après ce travail ingrat, les confier à quelqu'un d'autre, fût-ce à Dieu, c'est un sacrifice trop monstrueux. Ses petits quittent tout juste leur berceau, ils sont trop jeunes pour savoir quoi faire de leur vie. Qui leur a enfoncé ces idées dans la tête ? Les frères ! Elle aurait dû s'en méfier. Cette engeance cherche à se perpétuer en usant de persuasion doucereuse et de mensonges sur le ciel, en professant une sainteté noire et fausse. Vous êtes-vous rendu compte, mes petits, qu'ils puent le rance, que leur soutane a de gros ronds de sueur sous les bras, que leur bavette est jaune ainsi que leurs dents, ce qui signifie qu'ils mangent très mal ? Ils ont le teint vert, les genoux pointus et de grosses bedaines. Leurs cuisinières ne connaissent rien aux vitamines, vous ne ferez pas de vieux os ! Vous vous fatiguerez à rien, vous attraperez toutes les grippes qui circulent et vous dépérirez à vingt ans !

Et l'hôtel ? De quelle façon se débrouillera-t-elle ? Sans eux, ses plus adroits, ses plus vaillants — les garçons tiquent, c'est le premier compliment qu'elle leur adresse —, elle devra engager du personnel qu'elle n'a pas les moyens de payer. Elle n'aura plus qu'à mettre la clef sur la porte ou à vendre à rabais, et toute la famille connaîtra la misère par la faute de deux abrutis sans charité ni sens commun, deux sans-cœur, bons à rien et paresseux.

Les deux ingrats égoïstes, se soutenant mutuellement contre sa fureur, résistent à tout. C'est ainsi qu'ils gagnent la première bataille contre leur mère.

Quant à leur père, il se réfugie dans le silence. Il n'a pas l'orgueil de résister aux diktats de la Providence, pour la conjurer de poser sa divine main ailleurs que sur la belle tête ronde, noire et frisée de ses garçons. Il aurait aimé les voir mariés et pères à leur tour, il doit renoncer à son désir, et sa douleur silencieuse est plus émouvante que les récriminations de leur mère. Les fils sont touchés, ils n'avaient pas prévu ce chagrin muet et impuissant, qui prouve la profondeur de l'amour de leur père pour eux. Ils songent à renier leur vocation, tant ils sont troublés par sa peine.

Septembre arrive, Dieu et le noviciat les appelant, les garçons préparent chacun une grosse malle. Catherine, en guise de représailles, ne touche à rien, c'est Marguerite qui reprise les chaussettes, rallonge les pantalons — ils grandissent si vite —, les équipe de savon, celui que Catherine fabrique tous les mois, et qui assortit son aide de multiples recommandations :

— N'oubliez pas de vous coiffer !

Avec les cheveux qu'ils ont, ce n'est pas un coup de peigne qui fait la différence.

— Avez-vous des mitaines assez chaudes ?

Ils reviennent à Noël, inutile de se préoccuper de lainages tout de suite.

— Si la grippe court, vous mangerez de l'ail !

Elle en fourre une tresse entière dans leurs bagages, qu'ils jetteront à la première occasion ; ils détestent l'ail, leur mère en utilise trop à leur goût.

Les valises bouclées sont chargées dans la Pontiac ; vient le moment du départ. Les futurs frères du Sacré-Cœur embrassent tout le monde. Dorothée a le cœur gros, Maria pleure, Murielle, qui ne saisit pas l'importance de ce départ, sanglote, contaminée par sa sœur. Philibert voulait prouver qu'il est un homme en demeurant de marbre, peine perdue, il se met à verser des larmes à son tour.

— Je veux pas que vous partiez !

La pensée d'être l'unique fils à habiter l'hôtel le terrifie ; il devra dormir seul dans le dortoir et c'est de lui qu'on exigera désormais tout le travail que ses frères accomplissaient. Il se promet de les rejoindre le plus tôt possible pour mettre fin aux corvées.

Les deux lascars montent au troisième saluer leur mère, qui a décidé de ne pas descendre. Ils l'ont entendue pleurer à gros bouillons sonores la nuit précédente, elle en rajoutait, essayant de les influencer une dernière fois.

Ils frappent à sa porte fermée.

— Allez embrasser le bon Dieu. Moi, je veux plus vous voir ! leur lance-t-elle à travers la cloison.

La mort dans l'âme, ils s'installent dans la voiture, Régis devant et Auguste à l'arrière, claquent leur porte, Camille soupire et démarre le moteur. Il ne faut pas avoir de cœur pour laisser partir ses enfants sans les embrasser.

Le reste de la famille, rassemblé autour de la voiture dans le stationnement de l'hôtel, gesticule. Catherine a changé d'idée. Elle dévale l'escalier de son pas pesant. En larmes, repentante, elle approche de l'automobile, en sort ses fils l'un après l'autre, les serre dans ses bras en répétant :

— Revenez vite ! Je suis sûre que vous avez pas la vocation.

Ils partent tout de même et l'hôtel est vidé de sa jeunesse, de sa vie. Il y a des trous dans l'eau qui ne disparaissent pas, des blessures qui ne cicatrisent pas. Pendant deux semaines au moins, Marguerite met deux couverts de trop et Catherine bougonne, et pas uniquement à cause de l'argent qu'elle dépense pour engager un employé.

Que Dieu réclame la vie de ses fils est, pour elle, incompréhensible. Il exagère, il abuse. Elle lui en veut depuis belle lurette, ce dernier coup d'éclat de sa part n'arrange rien. Elle est brisée par une puissance aveugle, le jouet d'une force bête et sans scrupule. Elle souhaiterait qu'existe un degré maximal de sacrifice. Dieu accepterait, par exemple, que l'abnégation ne se rende pas jusqu'à l'oubli total de soi ; il permettrait que les humains sous sa coupe gardent un peu d'espoir et de confiance au cœur. S'il était intelligent, cela va de soi. Mais la preuve est faite qu'il ne l'est pas et qu'il se joue des femmes et des enfants à la manière d'un homme, en égoïste. C'est compréhensible ; il a créé les mâles à son image et à sa ressemblance, n'est-ce pas ?

Elle jongle avec ces notions dans sa tête. Quelquefois, elle se surprend à supplier Dieu de se lasser de ses garçons. Après une demi-oraison de cette nature, elle revient à elle et souhaite que Régis et Auguste soient si voleurs, menteurs et malcommodes qu'ils soient chassés du noviciat ; cela lui ressemble plus et dure le temps d'une mauvaise pensée, plus long dans son cas que celui d'une demi-oraison.

Les deux plus grands envolés du nid, la vie ne s'améliore pas. Philibert devient de plus en plus impressionnable ; le soir, il pleure dans son lit, il fait des cauchemars où sa mère lui administre une fessée en règle parce qu'il a été retenu à l'école. Si une des servantes approche de sa chambre à la nuit tombée, il la supplie de venir le retrouver et de s'asseoir près de lui. Parfois la fille accepte, il est si gentil. Il s'endort alors comme un bienheureux. Par contre, il n'aime pas se lever, inquiet de l'humeur matinale de sa mère. Une fois cette épreuve traversée, il gagne l'école qu'il adore parce que les professeurs sont attentionnés envers lui. Il y remporte d'ailleurs de beaux succès.

La pauvre Maria, elle, continue d'avoir peur la nuit. Elle entend des bruits de chaîne, des sifflements et des craquements, elle perçoit des fantômes rouges à ses côtés. Elle imagine que des hommes masqués la tirent de son lit, la traînent par les cheveux au bas de l'escalier, dans le hall et sur le trottoir devant la porte d'entrée et qu'ils la violent. Elle a ses menstruations depuis peu et elle a si mal au ventre qu'elle garde le lit durant ses règles. Belle occasion pour Catherine de la traiter de paresseuse ou de compatir avec elle, selon sa disposition d'esprit.

— On est malchanceuses d'être des femmes. Moi, j'avais de la misère, toi, c'est encore pire. C'est une nuisance, ces affaires-là.

Ainsi, Maria apprend à détester son corps.

Catherine ne s'arrête pas là. Désormais, Maria est fertile. Elle a beau n'être pas jolie — selon Catherine qui a tort —, elle doit se garder de faire confiance aux hommes, ces prédateurs, ces monstres lubriques. Si, dans un instant de faiblesse, elle succombait au désir de l'un d'eux, elle perdrait son honneur, deviendrait la honte de sa famille, serait rejetée de la société et son nom serait banni de toutes les conversations. Elle n'aurait plus qu'à devenir une pécheresse publique, une putain, une femme de mauvaise vie, une dégénérée, qui vivra les jambes ouvertes à cœur de jour dans une petite chambre miteuse et mourra de syphilis avant son heure !

Ainsi, Maria apprend à se méfier des hommes.

Dorothée ne subit pas ces envolées lyriques et salaces ; Catherine la sait plus forte, lui accorde plus de crédit. Sauf qu'elle a une sainte peur de la voir partir. Une fille jolie, en santé et qui a l'appareil reproducteur en bon état risque d'avoir des enfants toute sa vie ; c'est un avenir dont elle ne veut pas pour cette fille dont elle a trop besoin.

Pourtant, tout ne va pas toujours mal, même à l'hôtel des Bois-Francs de ma grand-mère.

Après trois mois d'un régime qui inclut des messes archimatinales et des exercices de piété astreignants, Régis et

Auguste se rendent à l'évidence : ils n'entendent plus l'appel du Très-Haut. Cela leur est confirmé d'ailleurs par les frères, qui auront eu de la difficulté à contenir leur vitalité débordante et leur envie de s'amuser. Coup de chance, ils reviennent du noviciat quelques jours avant Noël.

— C'est le plus beau cadeau que vous m'avez fait de toute votre vie, roucoule Catherine en les serrant contre elle.

On les reçoit avec des pâtés, de la dinde farcie, des oranges et des gâteaux, ils sont traités en rois pendant deux jours, Catherine les trouve superbes, les embrasse, les adore, les regarde de près, de loin, devant et derrière, pour s'assurer qu'ils sont en santé, pas amaigris, pas amochés, pas malades puis, toute bonne chose ayant une fin rapide, ils se remettent à laver des verres et des planchers.

Leur retour est assombri par une absence, celle de Gerry. Le banjoïste aux doigts de fée, l'homme à la voix de velours et aux yeux pleins de bonté, qui répandait la joie, la douceur et l'harmonie, Gerry, le gentil Noir, Gerry a quitté l'hôtel.

Nul ne saura pourquoi : il était trop discret pour s'expliquer. Philibert dira, plusieurs années plus tard, qu'il en était sans doute venu à se sentir responsable des querelles entre Catherine et Camille. Il n'avait pas de quoi payer une pension, les revenus de l'hôtel n'augmentaient pas, le départ de ses fils et l'obligation d'engager un employé pour les remplacer avaient exacerbé l'humeur de la duchesse. Il se sentait impuissant à alléger l'atmosphère de la maison : un simple banjo ne peut rien contre un orchestre déchaîné, surtout quand la partition n'est pas écrite pour qu'il soit soliste.

S'il avait prolongé son séjour à Victoriaville, c'est qu'il était souffrant. Puisqu'il ne se plaignait pas, personne ne s'en rendait compte. Il était d'une droiture incomparable, d'une générosité sans bornes, aidait aux travaux domestiques s'il en avait l'énergie, et le fait qu'il ne soit pas catholique ne l'empêchait pas de se joindre à la prière du soir avec la famille. Il posait sa belle main noire aux longs doigts sur l'épaule de l'une ou l'autre des filles, par affection, pour partager le recueillement. Durant toutes les années où il a vécu à l'hôtel, on n'a jamais entendu le moindre commentaire négatif à son endroit.

Il est parti comme il est arrivé. Avec son petit sac presque vide et son étui. Il a emporté sa musique, sa joie, sa douceur et ses yeux pleins de bonté. Vieux et malade, il a pris la route pour une destination inconnue. Catherine, enfoncée dans sa colère, rongée par ses soucis, accaparée par ses obligations, n'a pas cherché à le retenir. Elle ne l'a pas non plus renvoyé. Elle l'aimait de la même façon qu'elle aimait la fête et le plaisir, en proclamant que ce ne sont que des parenthèses dans une vie de labeur.

Un jour, quelques années après, quelqu'un a raconté à Philibert que Gerry était mort dans un hôpital de la région du Richelieu, seul. Il avait demandé, trop tard, à voir les gens de l'hôtel, «sa vraie famille», pour leur faire ses adieux et les remercier. Il s'était converti au catholicisme, avait reçu la communion et s'était éteint dans l'anonymat, lui qui ne savait qu'apporter douceur et musique autour de lui. Pour tout héritage, il avait laissé son banjo à l'hôpital.

Philibert a tenté de le récupérer pour se rassurer sur le fait que Gerry ait existé; l'instrument avait été cédé à un organisme charitable. Il s'est résigné et a conclu que Gerry était un ange. Qui sait si les meilleurs d'entre eux ne sont pas noirs et jouent du banjo plutôt que de la lyre? Personne n'est revenu raconter quelle musique on écoute au-dessus des nuages.

C'est ainsi que, une fois la fête de leur retour terminée, Régis et Auguste reprennent leur vie dans une maison sans musique, plus amère qu'auparavant. Avec cette différence qu'ils savent qu'ils la quitteront et ne vivent plus que dans l'attente de ce moment. Philibert s'accroche à eux, et les trois joignent les rangs de la fanfare locale, Régis aux percussions, Auguste au trombone à coulisse et Philibert à la clarinette. Désormais, l'hôtel retentit de «pouet-pouet» de «pom-pom» et de «zin-zin» que Catherine supporte avec patience ; ses garçons sont si beaux dans leur uniforme de musicien !

J'ai une photo où ils posent tous les trois. Auguste est le plus grand, le mieux bâti. Régis le suit, puis Philibert. Ils ont les joues rondes, les cheveux frisés collés sur la tête, des pantalons blancs avec un pli pressé, des vestes marine à col droit et ornées de six boutons dorés. Ils portent leur instrument de la main droite. Ils regardent l'objectif sans confiance, sans humeur, leur jeunesse éclate de partout malgré la raideur de l'uniforme et de la posture, et une question flotte au fond de leurs yeux : qu'allons-nous devenir ?

21

La crise achève et l'hôtel continue à garder des pensionnaires. Ceux qui quittent sont remplacés par d'autres qui
s'installent. Parmi eux, un commis de l'épicerie où Catherine achète plusieurs de ses denrées, un certain Philippe
Boulé, qui vient de casser maison parce que sa mère est
morte.

Rubicond, jovial, il a l'allure un peu naïve des fils trop
couvés. Matin et soir, il mange aux Bois-Francs, il s'absente
rarement parce que son travail l'accapare six jours par semaine. Il aime rire, il est de toutes les fêtes, et sa présence
légère et drôle est appréciée.

Il adore les femmes, il est charmant avec elles, souriant,
taquin, mais n'en fréquente aucune ni ne tente d'entreprendre de relation suivie. Est-il trop difficile ? Cherche-t-il
un type particulier ? Nul ne le sait. S'il aime les enfants et
sait s'en faire apprécier, il n'exprime cependant pas le désir
d'en avoir. Si on lui en parle, il opine du chef et change de
sujet.

Catherine a confiance en lui.

— C'est rare, les hommes polis de même, déclare-t-elle
avec conviction.

De temps à autre, Philippe s'offre une fantaisie et monte
quelques jours à Montréal. Quand il en revient, il raconte
des anecdotes savoureuses. Il a remarqué de jolies robes
dans les vitrines, il les décrit à une Dorothée curieuse, il a vu
une pièce de théâtre et fait revivre sa soirée pour un Auguste

émerveillé, il a assisté à des concerts et il se plaît à brosser le portrait des spectateurs, leur démarche, leur coiffure.

Pour peu qu'on l'interroge, il dépeint les rues de la métropole, la diversité des quartiers, leur style, la misère des ouvriers et la richesse des Anglais. Il se rend au marché et rapporte de nouvelles variétés de légumes qu'il offre à une Catherine éblouie : oignons rouges et blancs, artichauts, panais et patates sucrées... Il la fait saliver en lui relatant ce qu'il mange dans des restaurants exotiques ; il lui rapporte un jour une recette de spaghetti italien, qu'elle se presse d'inscrire au menu de sa salle à manger et qui remporte un vif succès.

Il aime rire, il s'intéresse à tout, il a de l'humour et, ce qui est très rare chez les hommes, de la délicatesse. Il participe aux travaux ; laver la vaisselle en sa compagnie est une fête, et il ne se fatigue pas des gammes et des arpèges de Murielle au piano. Sa sensibilité est telle qu'il sait si Maria a ses menstruations et qu'il la taquine, ce dont elle rougit jusqu'aux oreilles. Il fait partie de la famille, on l'aime, point à la ligne.

— Lui, je le laisserais «parquer» ses bottines en dessous de mon lit, confie Catherine, en blague, à qui veut l'entendre.

Après quelques mois, elle est intriguée. Philippe est trop gentil. Elle ne cesse pas de l'apprécier, oh non, mais elle se persuade qu'il y a anguille sous roche, que ce n'est pas normal qu'un homme soit si attentionné, si déférent. Décidée à résoudre cette énigme, elle l'observe, l'examine, l'étudie, sans cesser de lui faire bonne figure, il est si obligeant.

Elle doit déclarer forfait. Son enquête soutenue, son attention constante ne lui ont pas permis de découvrir quoi que ce soit de suspect. En duchesse qu'elle est, elle conclut qu'elle est en présence d'une denrée rare : un vrai célibataire. Elle est heureuse, elle en aura connu au moins un dans sa vie. Somme toute, elle est satisfaite de lui fournir un environnement qui l'accepte et l'apprécie pour ce qu'il est, sensible à son intelligence et à son humour.

Les mois, les années passent. Personne ne s'inquiète, ne se pose plus de questions. Des vieux garçons, ça existe. Philippe en est la preuve vivante.

Il fait tellement partie de la famille qu'il se permet de jouer des tours pendables à son hôtesse. Un jour, elle reçoit en cadeau d'une amie une tourterelle qui roucoule si fort qu'elle réveille tout le monde le matin dès la première lueur de l'aube. Elle dérange. Catherine n'en est pas consciente, elle dort comme une bûche.

Alors Auguste et Philippe concluent un marché. Ils élimineront la tourterelle sans que sa maîtresse s'en aperçoive. Ils établissent leur plan et le mettent à exécution ; ils ajoutent quelques graines de strychnine au menu du volatile qui — c'était prévisible — est découvert les pattes en l'air quelques jours plus tard. Catherine est triste, si triste qu'elle ne la remplacera pas. Victoire totale pour les deux complices qui pourront recommencer à dormir le matin.

L'histoire de Philippe serait belle d'un bout à l'autre, si elle n'avait pas une fin si sombre. Après quelques années, il quitte l'hôtel, et pas de son plein gré. Son départ est humiliant, douloureux.

Ce matin-là, le policier de Victoriaville, un homme un peu timide, rempli de l'importance de sa fonction, se présente à l'hôtel muni d'un mandat d'arrestation pour M. Boulé.

Commotion, surprise, chagrin. Catherine proteste : il y a erreur ! Vous êtes sûr que vous parlez de ce Philippe qui vit ici ? Il est si gentil, correct et aimable avec tous. Il n'est pas non plus homme à soulever de querelle, à se placer dans une mauvaise situation. Qui est à l'origine de ce mandat ? Certainement pas son patron ! Si un différend avait surgi, les deux hommes l'auraient réglé à l'amiable.

Le policier, questionné par Catherine, par toute la maisonnée, se tait. Il n'a pas le droit de révéler quoi que ce soit. Philippe, lui, sait pourquoi on le recherche. Refusant de laisser une énigme derrière lui, il règle ses comptes en se confiant à Catherine. Peu importe, la ville entière jasera de sa mésaventure, autant la raconter lui-même ; sa « deuxième famille » pourra mieux apprécier l'intensité de son drame et mesurer les enflures infligées à la vérité par les préjugés de chacun.

Il est homosexuel. Ses voyages à Montréal lui permettaient d'avoir une vie amoureuse, des aventures. L'une d'elles s'est mal terminée, son compagnon ayant été arrêté par la police dans les toilettes publiques où ils se sont rejoints. Lui a eu de la chance et a pu s'enfuir. Si aujourd'hui on l'arrête à Victoriaville avec un mandat provenant de Montréal, il en conclut que l'homme l'a dénoncé pendant son interrogatoire.

Les enfants de Catherine, à qui elle doit fournir des explications, saisissent vaguement ce qu'être homosexuel signifie. Ils ne se doutaient de rien, Philippe ne leur ayant jamais fait d'avances, n'ayant rien laissé filtrer devant eux. Ils l'embrassent et le regardent partir avec tristesse, d'autant plus que le policier lui a passé les menottes. Ils rassemblent ses affaires et les descendent dans la cave, où un de ses amis viendra les chercher.

Philippe, dont les concitoyens connaissent la mésaventure, n'osera pas reparaître dans sa ville natale. Après un séjour en prison, il s'établira à Montréal et plus personne n'aura de ses nouvelles.

À la suite de cette arrestation, Catherine est sous le choc. Pas un instant elle n'a pensé que Philippe pouvait être homosexuel. Il concrétisait les espoirs qu'elle entretenait pour l'humanité en général et la gent masculine en particulier. Si elle a aimé un homme, c'est lui. Il lui a été enlevé et, de toute façon, il n'était pas pour elle. Elle entre en crise.

Pourquoi les hommes qui sont aimables et charmants, qui ne sont pas obsédés par le cul, qui ont de belles manières et de la culture sont-ils homosexuels ? On se sent si détendue près d'eux ; ils ne vous touchent pas là où vous ne le voulez pas, ne pensent pas à votre entrejambe et ne vous reluquent

141

pas constamment les seins et les fesses. Le destin des femmes serait-il de partager leur vie avec les moins intelligents, qui les désirent et leur font des enfants sans qu'elles en tirent la moindre satisfaction ? À vrai dire, le sexe féminin est celui dont Dieu s'est désintéressé. En tant que moitié de l'humanité, il souffre sans cesse par la faute de l'autre moitié, soit de violence, soit d'inaccessibilité.

Dans ces conditions, pourquoi vivre ? À quoi bon faire des efforts ? On travaille sans arrêt pour améliorer le quotidien des gens autour de soi, pourquoi le meilleur nous est-il inaccessible ? Dieu veut-il nous manifester que nos efforts sont vains ? Nous écraser ? Nous persuader une fois pour toutes que lui seul a pouvoir sur les pensées, les manières et les goûts de chacun ?

Les contraintes que Catherine s'impose pour être parfaite, organisée, charmante, intelligente et intéressante créent, à la longue, une tension qui l'étouffe. Elle n'a pas un caractère à accepter la prison, même celle qu'elle s'inflige ; alors, à l'occasion, elle lâche les amarres, coule à pic, plonge sans regret dans une noirceur totale. Les crises l'aident à décharger son agressivité, à vider ses abcès, à exprimer ses frustrations en toute liberté. Pour supporter qu'un médecin diagnostique l'hystérie, elle qui protège tant et tellement sa réputation, elle a vraiment besoin de ces moments de folie.

Les premières années, seules Dorothée et Marguerite osent pénétrer dans sa chambre ; à mesure que les accès se répètent, tous les enfants, encouragés par Marguerite, se résignent à y faire un tour. Régis, les bras ballants, Auguste, congestionné, Philibert, qui s'agenouille près d'elle et l'enlace en écoutant ses plaintes, Maria, dont la présence ravive quelquefois la colère de la névrosée, et enfin Murielle, pas impressionnée, qui lui raconte des histoires distrayantes.

Camille n'est pas admis auprès de sa femme — elle lui lance des brosses à cheveux à la figure — et il s'inquiète. Il veut remédier à ces absences qui désorganisent l'hôtel ; la charge de travail retombe sur le dos des autres et tout le monde est affecté par l'atmosphère de crainte quasi religieuse qui s'installe. Consulté, le médecin qui a diagnostiqué l'hystérie lui prescrit, abrupt :

— Donne-lui une volée ! Ça la calmera !

Tout un remède ! Même s'il lui arrive de trembler de rage, Camille n'est pas violent. Il se contente de se promener de long en large dans le hall d'entrée, les poings serrés, nuisant à la circulation des femmes de chambre, et il patiente jusqu'à l'ouverture de son bar. Au moins, là, il peut se détendre en jouant aux cartes avec les clients.

Catherine a beau être en crise et cloîtrée au troisième, elle ne perd rien de ce qui se passe en bas. C'est ainsi qu'un jour au milieu d'une de ses attaques, elle perçoit que M. Fournier, l'industriel prêteur, a annoncé qu'il serait le prochain propriétaire de l'hôtel, après quoi il a, sans discussion aucune, réquisitionné la grande salle d'échantillons de l'hôtel. Le cher homme a, en effet, décidé de se présenter à la mairie de Victoriaville et entend se servir des lieux pour tenir des assemblées partisanes.

Le sang de la patronne ne fait qu'un tour. La situation a assez duré ! Attends de voir de quelle façon je te traite, mon bonhomme ! Elle se lève, lace le corset qui lui affine la taille, enfile sa plus belle robe et quelques bijoux brillants, un chapeau qu'elle pose sur le côté de sa tête, par-dessus sa chevelure abondante et soyeuse, et termine sa toilette par un peu de poudre et du rouge à lèvres. Elle a une allure aristocratique, un port de reine. C'est la duchesse, quoi !

Elle descend de sa tour.

— Va te baigner, on a rendez-vous avec le gérant de la banque, ordonne-t-elle à Camille.

Il s'exécute, il n'a pas le choix. Elle patiente, assise à la salle à manger, véritable effigie du style qu'elle voudrait maintenir pour son établissement.

Camille revient ; vêtu de son pantalon pressé, sa chemise d'une blancheur immaculée sous son veston marine, il a belle apparence. Durant une fraction de seconde, elle l'admire. Il est rasé de près, il s'est aspergé d'eau de Cologne, il sent si bon qu'elle a l'impulsion d'appeler ses enfants pour qu'ils profitent de l'occasion, rare, qui leur est fournie de humer un père propre. Malheureusement, ils sont à l'école.

— Tu devrais t'arranger plus souvent. On aurait une meilleure clientèle.

Il s'en fiche, il considère que sa clientèle est très bien. S'il fallait qu'il attende d'en avoir une «en moyens», selon ce qu'elle désire, il serait incapable de garder son établissement.

— Ça sert à rien d'aller à la banque !

— Il est pas né, celui qui va me dire non ! Amène-toi !

Elle sort, il la suit. Ils ne marchent pas loin. Ils ont le choix entre la banque en face de l'hôtel et celle d'à côté. Ils se rendent d'abord en face, le gérant les salue quand il les rencontre et dîne quelquefois chez eux.

Sitôt que Catherine serre la main tendue de ce client occasionnel, elle arbore son sourire le plus lumineux, engageant et irrésistible. Elle s'assoit devant lui, droite, dégageant une telle assurance, un tel charme qu'il l'écoute, muet de stupéfaction. Il rencontre peu de femmes qui causent chiffres, emprunts et revenus.

Elle — qui se plaint en privé de ne pas disposer d'un sou vaillant — vante la prospérité de son établissement. La crise achève, l'hôtel s'est tiré d'affaire grâce à sa réputation sans tache et à sa tenue, monsieur le gérant en conviendra. Il en convient. Et puis le cher homme a assurément remarqué l'augmentation de sa clientèle ! Il a remarqué, oui.

Le plus beau, continue-t-elle, c'est que l'hôtel a des revenus fixes grâce aux pensionnaires, une assurance tous risques, n'est-ce pas ? Incontestablement. Et quand les pensionnaires quittent ? Elle sourit d'une façon entendue. Cela n'a jamais été un problème. Elle et son mari ont limité le nombre de pensionnaires pour réserver de la place aux voyageurs de commerce ; s'il fallait en garder plus, ce serait facile, ils choisiraient les candidats les plus solvables dans la liste des gens qui aspirent à demeurer chez eux. N'est-ce pas une sécurité ? Le gérant opine du chef. Et la réputation de la salle à manger se répand ; certaines personnes haut placées viennent tout exprès de Sherbrooke, qui n'est pas à la porte, remarquez, pour déguster ses créations culinaires. Le gérant sourit ; c'est vrai, il a parlé au chef de la fanfare de Sherbrooke la semaine dernière, qui lui vantait la qualité de la cuisine des Bois-Francs.

Cher monsieur, nous préférons votre établissement, mais il y en a d'autres. Que nous fréquentons également. Nous sommes commerçants, il nous faut faire affaire avec tout le monde.

Oui, le prêt que nous sollicitons est assez élevé ; n'ayez crainte, nous vous rembourserons. Intérêts en sus.

Une hypothèque sur l'immeuble ? Est-ce nécessaire ? Bon ! Autant que ce soit la banque qui la détienne, n'est-ce pas ? Surtout vous, qui êtes prêt à aider les commerçants de votre ville, ce qui reviendra, au bout de la ligne, à aider toute sa population !

Catherine, fière, revient à l'hôtel en ayant obtenu ce qui a été refusé deux fois à Camille : l'argent pour rembourser Eudore Fournier. Elle est présente au moment où Camille remet le chèque en mains propres à l'industriel, c'est elle qui lui refuse la salle d'échantillons pour éviter que son hôtel soit identifié à un parti. Quand Fournier, bredouillant, s'excusant, les assure qu'il ne voulait pas se saisir de leur propriété, elle savoure sa victoire.

Pour le remercier de sa générosité, elle lui offre le dîner. Le malheureux accepte. Il ne saura jamais pourquoi, ce jour-là, son spaghetti italien est si piquant qu'il se brûle la langue !

22

Nous sommes le 1er janvier 1936. Les effets de la crise s'atténuent. Les affaires ont repris au rythme d'avant, ou presque.

À l'hôtel, tout est mené d'une poigne ferme par Catherine qui s'affirme, qui règne en maîtresse absolue des lieux et des gens.

Elle a subi une grande perte à l'automne. Marguerite, sa chère Margot, s'est mariée. Avec un bon garçon qui devrait la rendre heureuse, si tant est qu'une telle chose soit possible, ce dont Catherine doute. Il lui a fallu des semaines pour accepter de renoncer à sa meilleure et plus fidèle employée. Le problème, c'est que l'étoffe qui fait les femmes de la trempe de Marguerite ne se tisse plus ; personne ne possède plus cette ardeur, cette vaillance et cette intelligence. Heureusement, Dorothée a vieilli, c'est elle qui assistera sa mère à la cuisine et deviendra responsable de l'entretien des chambres.

Le départ de Marguerite oblige Catherine à admettre que, quelle que soit la force de sa volonté, elle est impuissante à retenir tous ceux qu'elle aime. Cette désagréable découverte, survenue dans sa quarantième année, la laisse stupéfaite, atterrée. Le temps file si vite.

Aujourd'hui, jour de l'An, elle se lève de mauvaise humeur et entreprend sa journée en invectivant Camille.

— Prends un bain, sinon on pourra même pas te souhaiter bonne année !

Il ne le fait pas et elle se servira de ce prétexte pour dissuader Auguste — en remplacement de Régis, malade — de demander la bénédiction paternelle. Auguste bougonne, cela lui semble exagéré, il n'aimerait pas que ses enfants, s'il en a, lui jouent ce sale tour, sauf que Catherine est si désagréable quand on la contrarie qu'il renonce à parlementer avec elle. Camille ne bénira pas ses enfants cette année-là.

Au milieu de l'après-midi, Catherine monte à sa chambre pour enfiler une robe appropriée au souper chic de ce soir, la salle à manger étant bondée de gens qui ont payé cher leur repas du jour de l'An à l'hôtel. L'envie lui vient de se regarder nue, ce qu'elle n'a pas fait du plus loin qu'elle se souvienne. Elle se déshabille et, éclairée par les dernières lueurs du jour qui s'infiltrent au grenier par les carreaux, elle se plante devant son miroir, commettant délibérément un péché. Mortel ou véniel ? Le prêtre en décidera quand elle se confessera. Les sauvages qui vivent nus à longueur de journée sont donc perpétuellement en état de péché ? Ce n'est pas pareil, ils sont païens. Il y a des jours où elle préférerait être païenne, sa vie serait plus simple. C'est inouï que Dieu défende à ses créatures de s'examiner ; est-ce parce qu'il en profite pour les reluquer ? Si oui, elle espère qu'il est occupé ailleurs parce que, s'il l'aperçoit, il détestera autant qu'elle le corps défait que lui renvoie sa glace.

Si ses épaules sont belles, carrées et étroites — elle a l'ossature petite pour sa taille —, elle a les seins lourds, pendants comme des outres molles sur son torse épaissi, et la chair de son ventre ballonne un peu en retombant. Ses jambes sont droites et elle a de fines chevilles, présent de la nature ; contre la ruine de son corps qui a subi trop de grossesses rapprochées, c'est une minuscule, une ridicule compensation. C'est cela qu'elle gagne pour avoir obéi à sa religion. Cadeau empoisonné !

Ce n'est pas sa corpulence qui lui déplaît, ce sont ses vagues de peau. Quand on porte un corset tous les jours de sa vie, les muscles de l'abdomen n'ont plus à travailler et

147

s'avachissent. En plus, les chairs sont repoussées au-dessus et en dessous de l'armature baleinée. À la hauteur des seins, ça ne pose pas de problème, avec le corset, la poitrine rebondit, s'arrondit. Aux cuisses, le résultat est moins joli ; la peau épaissie par la graisse s'accumule et les déforme jusqu'à les faire ressembler à de grosses saucisses boudinées.

Elle se détourne de son miroir, ulcérée.

Elle ne s'examinera plus, ne se dévoilera plus devant qui que ce soit, elle est trop laide.

Si Camille mourait demain, cela lui serait inutile, elle ne suscitera plus le désir d'aucun homme, ne connaîtra pas ce qu'on raconte dans ses romans, qui habite et envahit, qui rend heureuse et comblée. Elle, qui s'était juré de tout expérimenter, ne touchera pas même du bout du doigt cette part de la vie qui est, dit-on, la meilleure. Son rêve obsédant et démesuré s'écroule. Elle se sent infirme de sa laideur, surtout de ce pan entier de vie qui lui est refusé.

Elle se rhabille, la rancune à la gorge. Maudite fatalité. La vie est injuste. L'Éternel est impitoyable, cruel et dédaigneux de ses créatures. Vous envoie-t-il une joie ? C'est pour vous assommer d'un malheur le lendemain. Désobéissant à ses propres commandements, il travaille tous les jours, lui, il gratte les plaies à vif, ébouillante les brûlures et tord les chevilles des éclopés.

Pourquoi, tiens, a-t-il envoyé une pleurésie à Régis, ce beau jeune homme nourri de fer et de vitamines dès son berceau ? Il n'a pas enlevé sa tuque en hiver, ne s'est pas attardé dehors et il a quand même attrapé cette cochonceté de maladie grave. Où ça ? Dans la mare à méfaits du Tout-Puissant, pas ailleurs !

Il est dans son lit, depuis une semaine, avec plus de cent degrés de fièvre. Elle craint pour sa santé ; qu'est-ce qu'elle pourrait faire de plus pour que Dieu la lui rende ?

S'habiller sans élégance ? Il ne peut pas exiger cela d'une femme intelligente ; qu'il invente un châtiment différent, s'il vous plaît, au moins vraisemblable. Reprendre Camille dans son lit ? Il ne devrait pas revenir là-dessus, elle s'est entendue avec lui, elle a le devoir de se protéger des microbes et des maladies vénériennes. Sacrifier ses plaisirs ? Elle n'en a presque pas. En dehors des mets, qu'il faut qu'elle goûte et regoûte parce qu'elle les sert aux clients, elle achète quelques petits bijoux par-ci par-là. Notez, maître du ciel et des enfers, qu'il lui en faudra plus parce qu'elle s'est enlaidie ; une hôtesse doit être belle, sinon elle serait incapable de nourrir ses enfants.

Ah ! et puis zut ! C'est inutile de négocier avec vous. Désormais, nous marcherons en parallèle. Je ne m'occuperai pas de vous, et vous continuerez à vous comporter brutalement et sans vergogne. C'est ma résolution du Nouvel An. Si vous en vouliez une différente, vous n'aviez qu'à me contenter.

Elle a fini de se rhabiller. Elle noue sa ceinture sur sa taille raide. Ses cheveux noirs sont coiffés en vagues régulières. Elle accroche un collier à son cou et des brillants à ses oreilles. La semaine prochaine, elle se fera photographier. Elle ne paraît pas son âge, quand elle est vêtue avec élégance. Pour l'instant, elle doit retourner à la cuisine, et avant cela, soigner Régis.

Elle se rend au deuxième, dans la chambre où on a installé son fils pour éviter la contamination. Il repose, son souffle est rauque, son front est moite. La pièce sent le renfermé, les remèdes et la sueur ; elle ouvre la fenêtre, en dépit du froid, pour dissiper les odeurs. Régis perçoit cette bouffée d'air, marmonne et bouge. Elle approche du lit et remonte ses couvertures.

— Te sens-tu mieux ?

Il ne l'a pas entendue, il somnole, écrasé par sa fièvre. Il est très amaigri. Et s'il mourait ?

Pas ça. Non. Qu'il soit estropié et affaibli, d'accord, qu'il meure, non ! Quel péché a-t-il commis pour se mettre dans un état pareil ? De quoi est-il puni ?

Il gémit, murmure, se tord un peu, fait des cauchemars. Elle croit reconnaître un nom familier dans les sons qu'il émet, celui de la dernière fille qu'elle a engagée, Bibiane. Elle rage. Ah! c'est ça! Le désir du mal l'a tenaillé et il y a succombé! Débauché! Dévergondé! Vicieux! Qu'il subisse le châtiment mérité! Elle se jure de surveiller davantage ses allées et venues, s'il guérit.

Elle sort de la chambre, oubliant la fenêtre ouverte, se promettant de renvoyer cette Bibiane dès la fin de la soirée! Et elle tiendra parole.

Une demi-heure plus tard, réveillé par la fraîcheur, Régis émerge de ses cauchemars. Sa fièvre a diminué. Il est étonné de sentir le froid, l'hiver. C'est son premier instant de conscience depuis plusieurs jours. Il revient de loin et n'en est pas heureux. Il est si désespéré qu'il aurait préféré mourir. Ses parents, qui se liguent quand il s'agit de dire non, refusent de l'envoyer étudier.

— J'ai rien qu'une troisième, moi, pis je me débrouille, répète Camille, plus têtu qu'une mule.

Il ne voit pas que le pays a changé durant la crise. C'est terminé, le temps où on n'avait ici que du bois à couper et des terres à cultiver : des industries se créent et les cultivateurs déménagent en ville pour devenir ouvriers. Sans diplôme, il imagine mal comment il gagnera sa vie. Devra-t-il exercer un métier qu'il n'aime pas ? Il a des aptitudes en dessin, explique avec clarté, comprend le fonctionnement des moteurs et des machines, même sa mère reconnaît son talent, pourquoi se restreindrait-il à laver les planchers ?

— On a de la misère à vivre, on paiera pas pour des études certain, lui explique-t-elle.

Ce n'est pas vrai, il le sait. Au bar, tout le monde se sert dans le tiroir-caisse : Catherine, pour ses bijoux, les garçons — un peu —, pour leurs petites dépenses. La véritable injustice, c'est que Murielle suit des cours de piano ! Tout cet argent pourrait être récupéré pour l'envoyer au collège !

Son avenir lui apparaît d'un noir aussi profond que la nuit glaciale. Il n'a qu'une envie, mourir.

Ce serait facile. Il n'aurait qu'à repousser ses couvertures et à s'endormir. Il ne se réveillerait plus. Finie la vie, ce pilori humiliant, cette série de désabusements, de blessures, de cassures, de meurtrissures, d'écorchures et de brûlures. Il se sent balafré, défiguré par la perte de ses rêves, vidé de son essence. Il avait foi en sa jeunesse, en ses capacités, il voulait une existence différente de celle de ses parents, s'éloigner de leur influence castratrice, cassante. C'est clair dans son esprit, tant qu'à mener une vie qui ressemble à la leur, il préfère s'éteindre tout de suite. S'il est malheureux, il rendra les gens malheureux autour de lui, sa mort serait une contribution au bonheur de l'humanité.

Il songe au sourire des enfants, aux exclamations joyeuses qui retentissent dans la cour d'école, aux gestes tendres de M. Turgeon, le fermier-menuisier, pour ses fils et ses filles, et il fond. Ces gens-là méritent de croître et de se multiplier. Pas lui, pas ses frères. Il n'aurait pas dû naître.

Il respire avec difficulté. Il transpire, il frissonne. Son esprit a des absences, tombe dans des abîmes, émet des rires sans joie à la vision de l'issue possible. Il perd conscience. Revient à lui. A-t-il pris une décision? Il ne s'en souvient pas. Il veut lever le bras pour retirer ses couvertures. Il le doit. Juste à y penser, il se fatigue, il s'essouffle; il y renonce.

Il se hait de n'avoir ni le courage de vivre ni celui de mourir. Il a franchi un cap décisif, il a reconnu qu'il est constitué de chair vivante sur laquelle sa volonté n'a pas d'emprise, que son empire sur sa vie est minime. Tout le contraire de sa mère, dont le fantôme transparent se dresse devant lui, inquiet, presque chaleureux. Elle l'aimerait malgré tout?

Il se rendort, les bras collés sur son corps trop chaud. À son réveil, il ne sent plus de fièvre. Il tourne la tête vers la fenêtre, fermée durant son sommeil, et il sait qu'il vient de perdre sa chance d'exercer son libre arbitre en choisissant le moment de sa mort. La seule de toute son existence.

Cet instant entre deux mondes se gravera dans sa mémoire. Il le racontera une dernière fois à ses enfants avant de s'éteindre, pour leur apprendre le désespoir sans lequel, selon lui, on n'est qu'une moitié d'humain.

Pendant que son aîné échappe à la mort à l'étage, Catherine a changé de sujet de préoccupations au rez-de-chaussée.

Dès que ses trois filles ont eu leurs menstruations — Murielle s'est jointe au groupe ce mois-ci —, elle a tremblé de tous ses membres. Des filles fertiles sont à la merci du déshonneur, et un hôtel est un endroit où les occasions de pécher par la chair sont multiples. Elle veille au grain ; malgré cela, des voyageurs pourraient passer à travers les mailles de son filet et débaucher Maria ou Murielle.

On ne peut pas éviter que des adolescentes s'intéressent aux hommes ; penchant insensé qu'elle a éprouvé plus jeune et qui lui laisse un souvenir trop mauvais pour qu'elle n'essaie pas d'empêcher ses filles d'y succomber. Mais elles sont jeunes et belles, et eux, ces crapauds, les dévorent des yeux.

Que faire ? De quelle façon les protéger ? Elle se décide sur-le-champ. À partir de septembre prochain, elle mettra ses deux dernières au pensionnat. Elle s'est renseignée. L'institution, située tout près de l'hôtel, a des règlements convenant à sa situation. Les filles y suivront leurs cours et y dormiront ; elles ne reviendront à la maison que pour manger le midi. C'est parfait. Ça coûtera ce que ça coûtera, la distraite Maria et la jolie Murielle seront à l'abri des séducteurs.

À présent, Dorothée. À dix-neuf ans, tôt levée et tard couchée, elle est ravissante, bonne cuisinière, et ne répugne à aucune des tâches que suppose la tenue d'un hôtel ; il n'y a rien à lui reprocher. Le hic, c'est qu'elle commence à être amoureuse. L'œil de mère de Catherine, son intuition supérieure, ont tout perçu. Ont remarqué ces gestes de tendresse qui durent une demi-seconde de trop et qui cherchent une réciproque, signes d'un attachement qui se développe à l'insu de ceux qui l'éprouvent.

Le grand Gaston. Maudit Gaston ! Une vraie carte de mode, car il travaille à la fabrique de vêtements de Victoriaville. Il est là tous les samedis soir, quand on pousse la table rouge de la cuisine et qu'on valse sur la musique de la radio. Il participe, avec ses amis, à ces fêtes joyeuses où les voisins, les parents et les amis se rassemblent pour rire et danser. C'est lui qui a appris le fox-trot et la valse à Dorothée et à Maria, et il a entrepris Murielle, qui rougit de plaisir quand il l'invite. Sauf que, dès qu'elle est devenue femme, c'est Dorothée qu'il a préférée entre toutes les filles qui s'amusent ces soirs-là. Et il est beau, le cochon. Bien fait. Souriant, charmeur, intelligent, avec une santé qui éclate par tous les pores de sa peau. En plus, il gagne un bon salaire. Dorothée rêverait de se lover toute nue dans ses bras que cela ne la surprendrait pas.

Malédiction !

Elle refuse de se défaire de Dorothée. Elle ne veut pas d'idylle pour son aînée, ni avec Gaston ni avec aucun homme. Ça vaut pour Maria et Murielle, d'ailleurs. Et pour ses fils, tant qu'à y être ! Ce Gaston-là, tout beau et séduisant qu'il soit, ne partira pas avec son aînée, non, non, non, elle doit régler ce problème avant qu'il soit trop tard. S'il fallait que Dorothée s'enfuie, qu'elle soit déshonorée ! C'est facile de s'ouvrir les jambes quand on n'aime pas, imaginez à quel point ça l'est quand on aime !

Le samedi qui suit, on s'amuse ferme dans la cuisine. Gaston a reconduit Dorothée à sa chaise, Catherine s'avance vers lui pour requérir un tour de piste. Il l'entraîne avec plaisir, elle danse à merveille. Elle s'organise pour qu'ils se rapprochent de la porte du couloir. Rendue là, elle se détache de lui :

— Viens, j'ai quelque chose à te dire !

Gaston la suit, pensant qu'elle veut raconter une blague ; quelquefois, elle en répète des salées pour ses seules oreilles. Sitôt la porte refermée, elle change de visage.

— Avise-toi jamais de me demander Dorothée en mariage, tu l'auras pas, assène-t-elle, dure.

Gaston bafouille, recule, fouetté par son autorité et son agressivité. Sans attendre qu'il se remette de ses émotions, elle le tire par la manche et le ramène dans la cuisine, où elle continue à danser avec lui, à nouveau souriante.

Gaston n'osera pas agir contre cette volonté. Selon lui, un homme doit avoir la permission des parents pour épouser sa promise, sinon elle serait malheureuse. Il connaît l'attachement de Dorothée pour sa mère, son souci de l'aider, de la seconder ; le cœur brisé, il renonce à envisager un avenir avec elle. Catherine lui ayant coupé les ailes, il s'éloignera peu à peu de la cuisine des Bois-Francs et de ses joyeux samedis.

Elle a gagné, elle soupire d'aise.

Dorothée met quelque temps à comprendre ce qui arrive. Gaston est triste, il ne l'invite presque plus à danser, ses visites se raréfient. Lui, son complice, son ami, son confident, ne l'approche plus, ne s'adresse plus à elle.

Elle s'en ouvre à sa mère, qui lui lance, d'un ton faussement léger :

— C'était pas un gars pour toi, je lui ai dit de te laisser tranquille.

Dorothée est choquée que sa mère ait osé se mêler de sa vie et poser un jugement définitif sur une personne qu'elle a toujours semblé apprécier. Elle a le sentiment que Gaston est un homme honnête, mais Catherine a tant d'intuition qu'elle doute de sa propre appréciation. Qu'est-ce qu'elle a décelé chez lui qui soit si terrible ?

— C'est un vaniteux, ma petite fille, un orgueilleux. Il va s'acheter des habits avant de te nourrir ! explique-t-elle d'un ton sérieux.

Nul besoin d'en entendre plus, Dorothée reconnaît la mauvaise foi de la duchesse. Trop tard, Gaston a disparu. De toute façon, elle n'aurait pas eu la force d'épouser un homme sans le consentement de ses parents.

Et, pour la première fois de sa jeune vie, elle se sent prisonnière de sa résolution, de sa famille, de l'hôtel. Elle ne renie pas son choix, c'est un seuil qu'elle est incapable de franchir, sauf qu'il lui sera plus difficile de partir qu'elle l'imaginait.

La nuit de son vingtième anniversaire, fin janvier, elle garde les yeux ouverts, à essayer de concevoir son avenir. Un jour, ses parents vendront l'hôtel, ils n'auront plus besoin d'elle et elle sera libérée. Elle imagine un paysage clair, une prairie où elle courra, accompagnée d'un chien qui jappera en gambadant à ses côtés. Elle adore les chiens, elle sait les dresser ; elle n'aura aucun mal à éduquer ses enfants, elle a élevé, ou presque, ses frères et sœurs.

Elle ne pleure pas. Elle est persuadée qu'avec du travail et de la volonté tout peut s'arranger.

Le lendemain, elle se lève à l'heure habituelle et besogne sans se plaindre, sans se confier à qui que ce soit, n'ayant pas le loisir de se faire des amies. Elle puise son courage dans sa jeunesse, elle a plusieurs années devant elle pour surmonter les obstacles.

En revanche, Catherine, furieuse, a l'impression que le temps lui est compté. Ses enfants ont vieilli trop vite, ils la bousculent en devenant des adultes. Elle les aimait tant, petits, et voici qu'ils sont plus grands qu'elle.

Auguste, le silencieux, l'inquiète. Tout sérieux qu'il soit, il s'intéresse aux filles. C'est trop tôt, il n'a que dix-huit ans. Dieu qu'elle déteste engager de jeunes servantes ! Elle n'a pas le choix, les femmes plus vieilles sont moins vaillantes et moins intéressantes pour la clientèle.

Régis, lui, est trop rêveur pour savoir où poser les pieds ; par contre, il ose mettre en doute la vérité et la valeur de certaines pratiques de la religion, l'Eucharistie, par exemple, ou la confession. Tête forte ! Vaudrait beaucoup mieux qu'il ne se marie pas. Elle devra lui rabattre le caquet aussitôt qu'il sera rétabli. Quant à Philibert, il la fait damner, tellement il a la langue bien pendue ; il raconte tout ce qui lui passe par la tête, au mépris de la politesse et de l'étiquette. L'autre jour, il a complimenté une dame sur ses jambes, c'est très déplacé ! Et il n'a que seize ans ! Il faudra lui inculquer des manières, mater ses fanfaronnades.

Et Camille ?

Elle soupire. Elle s'est mise à exécrer les odeurs de pipe, heureusement concentrées autour du bar, « son bar ». Elle abomine laver ses vêtements, enlever sa crasse autour du bain quand, de loin en loin, il en prend un, repriser ses pantalons, ses chaussettes, ses chemises. Elle hait la couleur de ses cheveux poivre et sel. Tout ce qui vient de lui la dégoûte. Jusqu'à sa brosse à dents qu'elle déteste apercevoir dans la petite salle d'eau du bas, celle qu'il utilise.

À présent, il s'éloigne sans prévenir. La plupart du temps, c'est pour se rendre à la gare chercher des voyageurs ou à la salle de billard pour jouer une partie ou deux. Si seulement il pouvait profiter de ces sorties pour revoir sa putain ! Quelle belle occasion de le convaincre d'adultère et de le renvoyer !

Sauf qu'il faut de vraies preuves, fournies par quelqu'un qui le suit. Personne n'est fiable dans son entourage, hormis ses enfants. C'est un service qu'elle pourrait réclamer de Régis, tiens, quand il sera guéri.

Elle n'a pas à attendre longtemps. Quelques jours plus tard, dès que Régis peut se lever, elle lui présente sa requête.

— Faut que tu prennes des marches pour te refaire une santé, tu le suivras ! Fais ça pour ta pauvre mère qui t'a mis au monde et qui s'est levée toutes les nuits depuis que t'es tombé malade !

C'est faux. Prétextant sa fatigue et ses nombreuses responsabilités dans cet hôtel où personne ne se démène, sauf elle, elle a délégué Dorothée aux côtés du malade et a dormi tout son soûl.

Régis ferme les yeux pour cacher sa révolte. La requête lui répugne. Les querelles de ses parents sont au bas de la liste de ses préoccupations, il les méprise et veut s'en mêler le moins possible. Devant l'insistance de sa mère, il baisse la tête, incapable de discuter.

Il aura le temps de tergiverser. Pour l'instant, il pense à autre chose. Il est devenu amoureux.

23

Il y a des jours où je n'en peux plus de ma grand-mère et de son histoire. J'entends les bruits de cet hôtel de campagne, le vent qui siffle à ses fenêtres, ses murs qui craquent, les courses des enfants et le pas pesant de Catherine dans ses escaliers, le tintamarre des ustensiles et des casseroles de la cuisine, empilés ou déposés pêle-mêle, salis et lavés à d'innombrables reprises, je sens ses odeurs d'ail, de fines herbes, de levure et de cassonade, ses relents d'encaustique et de cire à plancher, et j'en ai assez.

La photo de Catherine à quarante ans trône sur mon bureau. Chaque fois que je la regarde, elle me trouble. Les romanciers de jadis, dans leurs descriptions de malfaiteurs aux petits yeux fourbes ou au rictus au coin des lèvres, avaient tort. Ce sont les belles personnes qui sont le plus à craindre parce que rien de leur malignité ne se voit dans leurs traits. Cela me bouleverse autant que le soir où j'ai constaté que mes lèvres n'avaient changé en rien après que j'eus donné mon premier vrai baiser, bouche ouverte, langues qui furètent et tout et tout.

Ce qui paraît le moins dans son visage, c'est sa colère.

Je n'en peux plus de cette colère sans nom qui ne dérougit pas, qui s'exerce à temps et à contretemps, contre tous, surtout contre Camille. Je lui en veux, j'enrage. Pourquoi, Dieu du ciel, n'a-t-elle fait aucun effort pour l'expurger ?

J'en suis révoltée. Il me semble, moi, qu'il est possible de changer. Qu'on a un pouvoir sur son existence.

À quarante ans, Catherine aurait pu opérer un virage vers les vertus présentes dans son visage : ouverture, humour, sensibilité, émoi. Ses enfants approchaient de l'âge adulte, ils étaient beaux, solides, en santé, ils représentaient ce que la vie offre de plus prometteur, elle aurait pu élargir leur chemin, ouvrir son cœur avec générosité et leur en donner le meilleur. En plus, l'Église enseignait le pardon, l'acceptation, la charité chrétienne et tous ces salmigondis, non ? Ce n'étaient pas des notions inconnues pour elle !

Je refuse de croire qu'elle n'était que la victime de son époque. Je connais des femmes de sa génération qui se sont améliorées, adoucies. Mais elle, plutôt que de renoncer à ses enfants, à son pouvoir sur eux, s'est transformée en manipulatrice acharnée.

Oh ! elle s'est donné de bonnes raisons ! Elle prétendait leur assurer une vie moins misérable que la sienne, leur éviter d'être malheureux en ménage et de suer sang et eau pour élever une famille qui ne leur apporterait que des tracas et des désagréments, et ainsi de suite. La vérité c'est qu'au fond, elle était si possessive qu'elle était incapable de les abandonner à des mains étrangères, de les voir partager leur intimité avec quelqu'un d'autre. Dès l'instant où elle les sortit de son ventre, elle proclama qu'ils lui devaient la vie, qu'ils lui appartenaient, c'est évident comme le nez au milieu du visage, comme la pomme sur le pommier.

En plus, elle était envieuse. Quand j'ai eu dix-huit ans, elle enviait mes seins fermes, mes fesses rondes, elle imaginait le regard que les garçons jetaient sur moi, mon plaisir, et tapait du pied ; pourquoi aurait-elle agi différemment avec ses enfants quand ils étaient jeunes ?

La simple pensée qu'ils auront des relations sexuelles, qu'ils jouiront, la met dans un état de jalousie dévorante. Pourquoi goûteraient-ils le fruit luxuriant et juteux dont elle a été privée ? Ils ne le méritent pas plus qu'elle, leur faim n'est pas plus grande, leur mérite non plus, surtout pas leur mérite. Alors elle fait des efforts extrêmes pour que l'Univers fléchisse sous son poids, que le tissu de la vie plisse sous ses doigts noueux, que ses fils et filles demeurent vierges, souriants et conquis à sa perception du monde pour l'éternité.

Certains, une fois leur jeunesse enfuie, auraient renoncé, ne serait-ce que par fatigue. Elle, non. Elle poursuit son entreprise jusqu'à sa mort, sa colère lui insuffle une énergie supérieure à la moyenne.

Plus je la regarde et plus je suis sûre qu'à l'époque où cette photo a été prise, elle aurait pu infléchir le cours de sa destinée, ployer un peu dans l'autre sens sa volonté de gouverner ses proches. Mais elle s'est laissé emporter par sa puissance excessive. Un cargo aveugle avec des moteurs lancés à plein régime. Un train rempli de passagers sur la voie menant au fond du hangar. Un tigre blessé qui cherche à se venger.

Je le sais, je lui ressemble.

Il ne m'a manqué que le talent de retenir les gens auprès de moi, de gré ou de force.

Quand je n'en peux plus et que surgit en moi l'envie — fréquente — de tout lancer par la fenêtre en hurlant, je sors et je marche jusqu'à la mer ; je me plante debout, face aux vagues, pour recevoir des embruns sur le corps. Et je pense à moi, sa petite-fille, enfant d'un de ses fils, qu'elle trouvait trop libre, trop affirmée, qu'elle jalousait. Si elle savait !

Je joue de l'accordéon comme elle, du banjo comme Gerry, je danse à claquettes comme Carl que je raconterai bientôt, je parle anglais, je suis excellente cuisinière, je connais ce qui est bon pour la santé, je me tiens bien, je suis polie, mes ongles sont propres, mes cheveux coiffés et, malgré cela, personne ne m'a aimée. Vraiment, je veux dire. Pour ce que je suis. À commencer par mon père qui, soit dit en passant, n'a pas aimé ma mère non plus. Comme Catherine qui n'a jamais eu de tendresse pour Camille, même si elle prétend le contraire. Pire : non seulement les hommes de ma vie ne m'ont pas aimée, en plus je les ai chassés l'un après l'autre.

Qu'on la subisse ou qu'on l'impose, l'absence d'amour se transmet de génération en génération. Je vous le jure.

La colère aussi. Je vous le jure.

Et moi, sa petite-fille, je suis plantée face à la mer, le cerveau embrouillé dans les fils de son histoire. Et je ne sais si je pleure ou si ce sont les embruns qui me mouillent le visage.

Aujourd'hui, l'espace où devraient se loger la confiance, l'assurance et la tendresse à l'intérieur de moi est envahi par la rigidité et la méfiance. Sitôt que je perçois de la chaleur à mon endroit, je l'interprète comme de l'intérêt ; si j'entreprends quelque chose, c'est sans confiance, et quand je sens la tendresse de certaines personnes, j'attends que leur vrai visage se révèle, celui de leur mensonge.

Voilà l'héritage de Catherine, la part que j'ai reçue, en tout cas. Je l'aurais volontiers refusée.

C'est cet héritage que j'essaie de refuser en racontant cette histoire.

Je veux sauver ma vie, la colère me brûle les os et les viscères.

24

Catherine bout.

Régis est amoureux, c'est visible comme neige en Arctique. L'air abruti, il court devant la voiture, dont il ouvre la porte avec empressement, presque plié en deux, pour aider cette fille aux yeux si pâles qu'on les croirait délavés, à la peau si blanche qu'on la dirait oubliée par le soleil et la santé, aux cheveux si blonds qu'ils ont l'air brûlés. Jeanne Turgeon, fille du fermier-menuisier, sœur d'Irma, élevée à la campagne loin des manières et de la civilisation, et trop idiote pour savoir différencier le lin du coton, le crêpe de la mousseline. Catherine est prête à parier qu'elle ne connaît d'autre étoffe que celle, grossière, dont elle s'habille. Elle a vécu deux ans aux États-Unis, ce qui est loin d'être une recommandation ; elle ne doit plus être catholique. Là-bas, il n'y a pas d'église où on peut se confesser et faire ses Pâques. En somme, c'est ni plus ni moins qu'une fille perdue.

Catherine rage, humiliée.

Si son aîné doit tomber amoureux — ce qu'il éviterait s'il était intelligent —, il pourrait quand même choisir quelqu'une qui a du bon sens et un peu de classe, et pas cette... oie blanchâtre qui dégage la stupidité au premier abord, peut-être par timidité, autrement dit par sottise ! Elle a travaillé dans des usines aux États et elle en est revenue célibataire, ça démontre l'intensité de l'intérêt qu'elle y a suscité. Elle a gâché sa réputation et elle croit que personne ne s'en doute ici ? Elle n'est pas la première à commettre cette erreur ; on a beau habiter à Victoriaville, on lit les journaux et on a vu passer les chars.

Pauvre Régis. Perdu, il est perdu. Il parle de liberté et d'amour. Il peut toujours gloser. La liberté n'existe pas et l'amour est une invention des livres ; ils n'ont pas de poids réel dans nos vies, ne doivent être d'aucune importance dans nos décisions. Plus longtemps il s'abritera au sein de sa famille, mieux ce sera pour lui. Au moins, avec moi, il se protège du pire. Nos enfants restent nos enfants ; c'est l'unique certitude sur laquelle s'appuyer en ce bas monde, il n'a pas l'air de s'en être aperçu.

Et Catherine, inquiète, épie celui à qui elle a confié la surveillance de Camille. Le guetteur guetté. Pour des fins qui ont la chair en guise de point commun. Dans le premier cas, pour empêcher le dévergondage et la chute aux enfers d'une jeune âme frémissante, dans le deuxième, pour obtenir un flagrant délit d'adultère. Ce qu'elle ne sait pas, c'est que Régis a décidé de ne pas jouer à l'espion. Il répugne à cette tâche qu'il juge déplacée, il refuse de prendre parti pour sa mère ; son père n'est pas si mauvais bougre qu'elle le prétend. Un peu entêté et bonasse, c'est possible, mais pas malhonnête. S'il y a quelqu'un de détestable dans la maison, c'est elle, par moments.

Ce qui l'aide à oublier sa misère et son chagrin, ce qui lui permet d'échapper au sentiment d'être coincé dans une vie étriquée, c'est la pensée, c'est l'existence de Jeanne. Avec elle, si douce, si vulnérable et au sourire angélique, il se permet de sortir quelques-uns de ses rêves du placard.

Leur première rencontre, à la salle de danse où il accompagnait sa mère, a été une révélation, un éblouissement. Il l'avait aperçue quand elle escortait sa sœur ou son père pour faire les livraisons, avant qu'elle devienne une femme. Son séjour dans l'État de New York l'a transformée au-delà de toute attente. Il a été subjugué par la pâle couleur de ses yeux, sa blancheur, sa blondeur — quel contraste avec sa mère ! Il a valsé et jasé avec elle presque toute la soirée, abandonnant Catherine — qui sort plus souvent avec ses fils qu'avec son mari qu'elle juge trop vieux — sur sa chaise droite.

Le lendemain matin, il s'est présenté chez les Turgeon sans prévenir. Il voulait en avoir le cœur net tout de suite, pour éviter de tomber amoureux d'une femme incapable de tenir maison; qu'elle ait travaillé en usine ne constitue pas une assurance quant à ses capacités domestiques, ne fournit pas d'indice sur sa propreté et sa vaillance. À huit heures tout juste, il l'a vue, un tablier blanc à la taille, éveillée et de belle humeur et a été rassuré. C'est ce qu'il espérait. En digne fils de sa mère, il est persuadé qu'une fille qui paresse le matin sera mauvaise épouse et mère.

À présent, il projette de l'épouser et, pour cela, il doit amasser de l'argent. Mais comment ? À l'hôtel, il ne gagne rien. Il n'ose en réclamer à son père et il est trop honnête pour se servir dans la caisse du bar, à la manière des autres — il lui faut de toute façon une somme impossible à constituer avec de petits larcins. Il admet que ses frères aient besoin d'argent de poche; il a plus de difficultés à accepter le comportement de sa mère qui, prétextant que les chambres et le restaurant ne font pas leurs frais, se sert sans gêne. Et en soutire un peu plus pour ses bijoux. Des billets qu'elle roule serré avant de les fourrer entre ses seins, là où personne ne faufile la main, sauf elle. Le comble, c'est qu'elle continue à pester contre Camille à la moindre occasion :

— Ton maudit bar ! Qui pue la bière et la cigarette !

Régis juge cette attitude irresponsable.

Heureusement, Jeanne lui ouvre un pan de ciel bleu dans un ciel orageux, électrique, noir et lourd depuis trop d'années.

Ce soir, soupirant de reconnaissance, il est assis en sa compagnie sur la galerie de l'hôtel. Elle porte une robe rose, c'est peut-être ce qui lui insuffle le courage d'accomplir l'exploit de lui caresser la main. Sa peau est si douce, ses

doigts longs et jolis, sa paume, chaleureuse. C'est la première fille qu'il fréquente, il ne sait pas s'y prendre, il a peur
d'être rejeté. Il se trompe, elle a l'air d'apprécier, baissant
les yeux en souriant vers leurs doigts enlacés.

Catherine sort ; vite, ils se séparent les mains. Trop tard.

— Allez faire vos cochonneries ailleurs ! clame-t-elle.

Jeanne n'en croit pas ses oreilles. Elle pense que Catherine blague. Régis suggère de déambuler dans la rue. Cent
pas à gauche, cent pas à droite. À leur retour, elle les attend :

— La rue, c'est pas une place pour les saloperies. Vous
mettez en péril la réputation de l'hôtel !

Alors ils se réfugient dans la cour, sur un banc, et ne se
touchent plus.

Désormais, quand Jeanne rencontre Régis à la salle de
danse, elle ne peut s'empêcher de penser, quoiqu'elle
trouve l'idée terrifiante, que Catherine, mécontente d'avoir
perdu son cavalier, est jalouse. Rejoint-elle Régis à l'hôtel ?
Elle sent le regard maternel épier chacun de leurs gestes.
Cette présence lourde, elle l'accepte quand même, Catherine n'étant pas l'unique mère à veiller sur les fréquentations de ses enfants.

Plus l'attachement des amoureux grandit, plus Catherine
en prend ombrage. Elle n'essaie pas de se raisonner, elle en
est incapable. La frustration, le sentiment de sa perte l'enva-
hissent. Elle isole Régis de ses frères, le traite en ennemi, se
repent de l'avoir mis au monde, il la déçoit tant et tellement.
Parce qu'il ose lui tenir tête, il devient un paria, un maudit,
le pus qu'elle doit extirper d'une plaie infectée. Elle conçoit
pour lui une haine délirante, lui fait des scènes, l'accuse de
l'abandonner, d'être d'un égoïsme effréné, de mordre la
main qui le nourrit, d'avoir perdu l'esprit, de préparer son
enfer sur terre, en un mot, d'être perdu aux yeux de Dieu et
des hommes, aux siens surtout.

Un soir de septembre où elle sent que Régis projette de
visiter sa dulcinée, elle le rattrape dans l'entrée et éclate
pour de bon :

165

— Si tu vas la voir, tu remets plus les pieds ici !

Régis fige, incrédule. Pour lui, il n'y a rien de plus normal que de fréquenter la jeune fille qu'il aime et qu'il a l'intention d'épouser. Il se défend en bégayant, ébranlé par la menace de sa mère à laquelle il n'accorde pas de crédit, persuadé qu'elle changera d'idée — cela lui arrive. Mais elle insiste :

— Je reviendrai pas sur ce que j'ai dit ! Choisis !

Il s'adresse à son père, sorti du bar pour assister à l'algarade qui dérange les clients, et ouvre les bras en signe d'impuissance.

— Papa, fais quelque chose !

À son grand désespoir, Camille hausse les épaules, lui tourne le dos et disparaît dans son bar ; il a appris qu'il n'aura pas le dessus sur Catherine et que, s'il l'affronte, il devient la cible des invectives.

— C'est ça, laisse-moi élever les enfants toute seule, commente Catherine, injuste.

— Je suis plus un enfant, affirme Régis.

Et il part. À vingt ans, il estime qu'il a l'âge de décider de sa vie.

Catherine, sans hésiter, monte au dortoir où les « garçons », qui atteignent l'âge adulte, dorment encore ensemble. Elle ouvre l'armoire de son aîné, empile ses vêtements et les jette par la fenêtre, dans la cour de l'hôtel où les feuilles mortes s'accumulent.

Auguste et Philibert ne protestent pas. Eux aussi ont appris à ne pas s'opposer à leur mère quand elle est dans cet état. Dès qu'elle est sortie en claquant la porte, ils cherchent une valise, descendent dans la cour et, le cœur lourd, y rangent les effets de leur frère.

— Où est-ce qu'il déménage ? s'inquiète Philibert.

— J'en sais rien, regrette Auguste.

Il ajoute, plus bas :

— Il pourrait peut-être coucher dans le garage un ou deux soirs.

À minuit, Régis, de retour, découvre sa valise sur la galerie avant, comme oubliée par un client. Ses frères, qui l'attendaient, le rejoignent pour lui confirmer qu'il ne peut plus dormir chez lui. Il met quelques secondes à saisir, et éclate d'un rire qui s'éteint en un gargouillis piteux.

Pour ne pas perdre la face, il se raidit, empoigne sa valise et, à la surprise de tous, la sienne y compris, la lance sur la porte en criant :

— Maudite folle !

La fenêtre se casse en mille miettes. Catherine, qui ne s'est pas mise au lit pour voir comment les choses tourneraient, rapplique, hurlant plus fort que lui, le traitant de bandit, menaçant d'appeler la police, de le déshériter, de le dénoncer, de l'envoyer dans une école de réforme pour adultes, en prison si c'est impossible. Il ramasse sa valise et s'enfuit, le dos rond, honteux de sa colère.

Ce soir-là, il marche deux heures, son bagage à la main, pour demander asile chez les parents de Jeanne. Le lendemain, il loue une petite chambre et il déniche un emploi de vendeur itinérant de produits d'entretien ménager. De colporteur, plus précisément.

C'est le premier d'une longue suite de déménagements et d'emplois mal payés.

Catherine est tout étonnée de constater que son aîné ne cherche pas à revenir, ce qui lui aurait permis d'imposer ses conditions. Elle le repousse loin dans son esprit, là où son absence ne la fait plus souffrir. Il a choisi son destin, qu'il l'assume. Mais quelque chose en elle attend le moment de prendre sa revanche.

25

La vie étant une interminable suite de batailles dans un champ de mines dévasté, Catherine n'a aucune occasion de se reposer.

Elle s'en veut d'avoir été trop charitable, s'en mord les doigts jusqu'au sang. Ce que les bonnes intentions peuvent provoquer de dommages, on ne le saura ni dans cette vie ni dans l'autre. Sitôt qu'elle a disposé du cas Régis, elle doit se défendre sur un nouveau front.

Il s'agit du grand Carl. Logan de son nom de famille. Qu'elle a recueilli à l'hôtel au début du printemps. Un joueur de baseball à l'emploi de l'équipe de Victoriaville. Si grand que sa tête accroche les cadres de porte. Noir. Un des beaux spécimens d'homme que Dieu, qui s'y connaît, a fabriqués. Ses dents sont égales, son sourire engageant, ses mains admirablement longues et souples. Dans sa cruauté, Dieu a mis sur terre des créatures trop agréables à contempler, torture diabolique pour qui n'a pas le droit de les toucher.

Le très beau grand Carl est pensionnaire à l'hôtel. Il ne paie pas un sou, c'est entendu, il joue pour l'équipe de la ville. Impossible de le renvoyer ; quelle raison invoquer, d'ailleurs ? Il est trop gentil ? Ce n'est pas un défaut d'être plaisant, d'humeur joyeuse et sereine, de se rendre utile partout où on peut et de se transformer en artiste de music-hall pour danser à claquettes les samedis soir dans la cuisine. En plus, il aide les enfants — qui n'en sont plus, d'ailleurs — à parler anglais — Catherine n'a pas changé d'opinion là-dessus, elle veut que sa famille soit bilingue. Tout ce qu'on pourrait invoquer contre lui est sa jeunesse et son célibat. Les dirigeants de l'équipe auraient dû avoir la décence de repêcher un joueur infirme, laid, boutonneux et père de nombreux enfants pendus à ses basques. Pensez-vous ! Ils n'ont agi que dans le but égoïste de gagner la coupe inter-municipale. Dessein coupable qui ne vise que le succès, au mépris de la tranquillité et de la santé d'esprit des femmes côtoyant Carl.

En réalité, si on met les points sur les i — et Catherine en est fort capable —, l'hôtel des Bois-Francs paie de sa poche pour fournir un joueur à Victoriaville ! Une aubaine pour le maire et les conseillers, qui devraient s'en souvenir au moment où ils auront des banquets ou des réceptions à organiser. On se chargera de le leur rappeler.

Revenons à nos moutons.

À notre problème.

Carl, dont la présence est délicieuse et dérangeante, fait les yeux doux à Dorothée. Au naturel, il a une prunelle de velours, imaginez l'effet quand son œil s'adoucit davantage. Ridicule, mais pénétrant. S'il s'avisait d'effleurer Catherine avec ce regard-là, elle se liquéfierait comme fer dans un haut fourneau.

Elle a vu les œillades langoureuses et elle morigène. Tout bien considéré, en admettant que leur relation se développe, que l'amour s'installe entre eux, il ne pourra pas rendre Dorothée heureuse. D'abord, il ne parle pas français, et elle sera incapable d'apprendre l'anglais. Ensuite, elle devra déménager aux États-Unis — à Baltimore ou à Cleveland ? — et s'y sentira isolée, elle qui aime la compagnie. En plus, il est protestant ; elle ne se convertira pas, et, peu importe la ville, il n'y a pas une église catholique à cent milles aux alentours !

Mais surtout, en supposant que l'union se réalise, qu'un sentiment naisse et dure et se conclue par un mariage devant notre sainte mère l'Église, avez-vous imaginé quels rejetons elle produirait ? C'est cela qui cloche, qui jure, qui détruit tout. Il faut y réfléchir à deux fois avant de mettre au monde des enfants moitié noirs moitié blancs. Au Québec, ils trancheraient sur la majorité et aux États-Unis, ils seraient ostracisés autant que les vrais Noirs. Il faut y songer. Ce n'est pas une vie à imposer à des enfants. Ils seront aussi malheureux que les pierres du chemin, et leurs parents autant qu'eux. L'existence est assez pénible sans ça.

Et Catherine se convainc qu'elle doit tuer dans l'œuf cette idylle, l'étrangler au sortir de sa coquille.

Sans hésiter, elle entreprend sa campagne. Par des allusions, des détours et des réflexions saupoudrées çà et là, elle grignote la confiance et l'admiration de Dorothée envers son bel Américain. On ne peut pas se fier aux gens qui arrivent de si loin, ils ont des manières différentes des nôtres, ils sont difficiles à saisir, ils peuvent cacher leur véritable nature, un étranger demeurera un étranger, mieux vaut connaître les parents d'une personne pour la juger, c'est amusant, les claquettes et le baseball, sauf que, pour nourrir une famille, ce n'est pas très pratique, et ainsi de suite.

Dorothée n'est peut-être pas instruite, cela ne l'empêche pas d'être intelligente et de comprendre dans quel bateau Catherine veut l'embarquer. Elle est d'abord choquée de cette projection si rapide, si lointaine ; c'est un viol de son intimité. Sa mère exige qu'elle renonce à une attirance qu'elle découvre tout juste ; elle ne sait pas si la réciproque existe, si les marques d'attention de Carl lui sont destinées ou s'il les prodigue de façon égale aux personnes autour de lui. Sa mère a l'habitude d'exagérer sur les fréquentations, les relations maritales et les amours ; par contre, il lui arrive d'avoir des intuitions fulgurantes. Quoique confuse, Dorothée l'écoute de toutes ses oreilles.

L'argument de la couleur de Carl et des enfants métissés lui est asséné le dernier, au moment où la saison de baseball tire à sa fin. C'est celui-là qui l'achève. Elle ne peut s'imaginer faire souffrir des enfants, les voir marginalisés, rejetés.

Elle prend une résolution : elle n'épousera pas Carl avant d'avoir cessé d'être fertile. Cette décision sonne le glas de son idylle. D'ici là, tant d'eau coulera sous les ponts qu'il aura oublié jusqu'à son nom.

Le beau joueur de baseball voulait s'installer aux Bois-Francs pour l'hiver, il comprend qu'il n'y est plus le bienvenu, sans savoir pourquoi. Lanceur émérite, il gagne la coupe pour l'équipe. Le soir de la célébration, il fait son numéro de claquettes avant de chercher à s'approcher de Dorothée, qui se dérobe, le cœur gros. Il la rejoint et l'invite à danser une dernière fois. Elle accepte. Il la presse contre lui avec toute la douceur du monde.

Elle a la tête lourde, les larmes aux yeux. Sa vie s'éloigne d'elle. La voix de Carl s'évanouira dans le temps et l'espace. Ses mains longues, charnues et tendres. Son torse triangulaire. Son ventre plat, ses fesses galbées.

Elle est si chagrine que ce soir-là elle, qui aime rire, n'ouvre pas la bouche ; elle prend du vin pour dormir et, pour éviter d'entendre Catherine, enfouit sa tête sous l'oreiller. Aurait-elle voulu un baiser qui l'emporterait loin des Bois-Francs, de sa mère, loin, n'importe où sur la planète ? Je n'en sais rien.

Ce que je sais, c'est qu'elle doit renoncer à rêver. C'est inutile. C'est se faire mal pour rien.

Sa mère ne la lâchera pas tant qu'elle vivra, à moins qu'elle se batte bec et ongles pour se libérer. Or, elle n'est pas belliqueuse, elle n'est pas constamment sur un pied de guerre, à conquérir des territoires, à défendre le fort, à régenter ses possessions ; elle attendra que l'eau coule, que le torrent emporte le pont.

Le lendemain, le beau Carl quitte les Bois-Francs, Victoriaville, le Québec, le Canada. Il ne renoncera pas tout de suite à sa Dorothée. Des années durant, il lui écrira, de son Cleveland natal, plusieurs lettres en anglais qu'elle a du mal à traduire, auxquelles elle ne peut pas, ne veut pas répondre.

Un jour, elle ne reçoit plus rien. Elle étouffe ses regrets et travaille plus fort. Se sentir utile est le moyen qu'elle choisit pour ne pas mourir de chagrin.

26

Ai-je mentionné que Catherine n'a jamais assez d'argent? Les sous lui filent entre les doigts plus rapidement que le beurre fond dans une poêle brûlante. Acheteuse compulsive, elle aime tout ce qui est beau, chic et cher: sacs à main en cuir, souliers fins, chapeaux extravagants, jupons de dentelle. Elle ne se refuse rien, c'est sa façon de compenser sa frustration amoureuse, son désir inassouvi, sa faim constante.

Au rythme où elle dépense, qui est loin d'être celui auquel elle aspire, même le bar ne rapporte pas suffisamment. Elle en conçoit de nouvelles insatisfactions; tragédies que l'impossibilité de changer les draperies, de renouveler les casseroles, d'acquérir de la belle vaisselle, celle qui est remarquée par les gens importants. Les années se succèdent, les sujets d'irritation s'accumulent, portant au paroxysme sa sensation de pauvreté et d'inadéquation par rapport à son idéal de beauté et de qualité, à son aspiration d'accéder à une classe supérieure.

Jusqu'au jour où sa vie se transforme de manière inattendue, magique.

C'est par une dame élégante, charmante, polie, manucurée et tout à fait distinguée que cette magie s'installe. Cette fée bienfaisante est la représentante de la compagnie Spencer, renommée pour la qualité de ses corsets pour dames et messieurs.

La fée, en louant une chambre chez Catherine, ne cache pas son désarroi. Ses efforts répétés pour dénicher une personne digne de représenter la compagnie dans la région des Bois-Francs ont été vains.

Il est vrai que la tâche n'est pas aisée. Il faut prendre les mensurations des clients, lesquelles doivent être parfaitement exactes, la nature du corset étant telle qu'il est quasi impossible de le retoucher. Cet assemblage de baleines, d'élastiques, de jarretelles et de bonnets, dans le cas des corsets pour dames, doit en effet n'être ni trop lâche ni trop serré, de telle sorte qu'il ne provoque ni frottements ni pincements douloureux, un inconfort inacceptable quand on paie le prix exigé, ma foi assez élevé.

L'art de mesurer les proportions des corps n'est pas très pratiqué, et la bonne dame ne sait plus à quel saint se vouer. Tous ses essais se sont révélés désastreux. Les clients sont insatisfaits. Pour un peu, elle irait allumer deux lampions devant Jude, le saint patron des causes désespérées ; sa compagnie ne peut pas se permettre d'être absente dans une des régions prospères du Québec.

Dans un effort ultime, elle s'en ouvre à Catherine, qu'elle rencontre pour la première fois. Connaîtrait-elle, par pur hasard, une couturière expérimentée, fiable et talentueuse ? Catherine est un peu vexée, si la dame s'était informée un tantinet, elle aurait été mise au courant de son excellente réputation. Un espoir naît chez la représentante, qui offre illico à Catherine de faire un essai.

Prudente et prude, cette dernière entame une série de questions. Il faudrait déshabiller ces dames et ces messieurs pour mesurer leur poitrine, leur taille, leurs hanches, leur entrejambe, la longueur de leur dos et de leur chute de reins ? Elle hésite ; dévêtir les gens ne figure pas dans la liste de ses activités favorites, non plus parmi celles qu'elle recommanderait pour agrémenter la vie. La vision de toutes ces poitrines pendantes, de ces ventres avec des vergetures, de ces cuisses rebondies et de ces dos adipeux ne l'exciterait en rien, et celle des seins fermes, des cuisses ragoûtantes et des ventres à peine ronds qu'il faudrait admirer serait une pure torture, puisqu'elle ne se juge plus belle.

Difficulté supplémentaire, où exercerait-elle son activité pour que personne n'y trouve matière à critiquer et que les clients éventuels ne soient pas à la portée des regards trop curieux ? Elle tergiverse. Que deviendrait sa réputation ? Comment se prétendre exemplaire, du moment qu'on passe son temps à voir des corps d'hommes et de femmes nus... ou presque ?

Et combien lui rapporterait l'activité ? Elle écarquille les yeux, la somme est rondelette. Elle salive. La perspective de ce bel argent à sa portée l'enthousiasme. Si elle adopte une attitude détachée et correcte, si elle ne fait aucune allusion déplacée en mesurant ses clients et clientes, si elle ne commente ni les horreurs ni les splendeurs des corps qu'elle touche, elle se débrouillera. Le tout est de se conduire avec la plus grande dignité, à l'image d'une infirmière avec un patient, d'un médecin avec son malade, d'un comptable avec un failli.

Elle se décide. Illico, elle résout le problème de l'emplacement ; elle utilisera la petite salle d'échantillons en y ajoutant un joli paravent derrière lequel les clients et clientes pourront enlever leurs vêtements en toute discrétion.

Sitôt dit, sitôt fait ! Elle, qui ne veut pas se montrer à poil, qui censure le moindre bout de peau, la moindre rondeur de poitrine un peu trop visible, qui juge la plupart des robes écourtichées et racoleuses, qui s'inquiète de la facilité qu'ont les hommes à déshabiller les femmes du regard, est promue heureuse vendeuse de corsets Spencer pour la région des Bois-Francs ! Peut-elle entreprendre ses activités immédiatement ? Oui ! La fée lui confie une cliente qui veut désespérément arborer sa taille la plus fine au mariage de son fils dans trois semaines. Vite, qu'on lui fixe rendez-vous, qu'on étudie les différents corsets et leur usage esthétique et thérapeutique, et qu'on sache les mesures à prendre.

Catherine, enthousiaste, absorbe la matière en deux jours.

C'est ainsi qu'elle a tâté les chairs mâles et femelles, molles et fermes, appétissantes et dégoûtantes de toute la bonne et la mauvaise société des Bois-Francs. Pour une femme prude, quel destin exceptionnel !

Cette expérience lui ouvre une nouvelle sphère d'observation. C'est à partir du jour où elle vend des corsets qu'elle ne ménage plus ses jugements — en privé, bien entendu — au sujet des corps qu'elle voit.

— Pauvre lui, s'il avait des fesses, il économiserait sur les bretelles !

— Pas de cou, une grosse bedaine, ce serait plus facile de rouler que de marcher !

— Jamais vu un homme aussi maigre : les quatre poteaux et la musique !

— Deux jaunes d'œufs sur une planche, mon Dieu que c'est pas une femme ragoûtante !

— Avoir ces jambes-là, moi, je me pendrais... en robe longue !

C'est avec cet œil sans indulgence qu'elle examine Maria, pour laquelle elle n'a pas plus de bonté.

— Redresse-toi, t'as le dos rond.

— Toi, on a beau t'habiller en soie, t'as l'air d'une pauvresse ! Qu'est-ce qu'il faudrait que je t'achète, Seigneur ?

— T'as des petites épaules et un gros cul, comment veux-tu avoir l'air du monde ?

Qui ne trouve pas grâce aux yeux de Catherine a du mal à vivre en sa compagnie. Maria ne peut plus s'asseoir dans une chaise sans se faire reprocher de l'écraser, ne coiffe plus un chapeau sans qu'on le juge disproportionné, n'enfile plus une robe sans qu'on lui ordonne d'y ajouter des épaulettes. Tant mieux pour elle, sa nature, malgré les apparences, est forte ; elle courbe le dos sous les brimades et se tait. C'est son moyen de résister, de survivre.

Entre-temps, Catherine gagne de l'argent.

Les revenus de la vente de corsets, additionnés à ceux des larcins commis au bar, lui permettent de se procurer le service de vaisselle qu'elle désire depuis l'âge de seize ans, un Wedgwood! Et de remplacer le lustre du plafond de l'entrée! Et, le plus beau, le luxe suprême, la folie entre toutes, de s'acheter une automobile.

Oh! le sentiment d'indépendance, de pouvoir, de liberté! Elle raconte ses expéditions en s'exclamant, manifestant une joie contagieuse! Pas étonnant que mon père ait fait une fixation sur les voitures. Il voulait la plus belle, la plus puissante, qu'il remplaçait tous les deux ou trois ans, pour ne pas se déconsidérer à ses propres yeux. À sa mort, il en possédait une toute neuve; sa succession a enregistré une perte de plusieurs milliers de dollars après la vente forcée de ce dernier gros joyau de son coffre personnel.

Catherine et sa Chevrolet! Verte, la bagnole, rutilante, spacieuse. Elle est extrapropre, les garçons la lavent avec un soin religieux. Distraite au volant parce qu'elle a trop de choses à raconter, à examiner, à commenter, Catherine est avisée qu'il serait plus prudent qu'elle se laisse mener. Elle adore être en compagnie de ses fils, alors elle obtempère et Auguste apprend à conduire.

Ça n'empêche pas qu'elle amène Murielle à ses leçons de piano à Sherbrooke toutes les semaines. Elle en profite pour prendre les mensurations des clients et faire des courses dans les librairies, chez les marchands de tissus et les bijoutiers.

De cet épisode, elle garde la fierté légitime qu'aucun de ses corsets n'a été retourné à la compagnie pour retouche. Elle est si habile à son travail, si précise, elle a l'œil si sûr qu'elle ne commet pas d'erreurs, preuve que l'appât du gain, qui lui permet de mesurer avec justesse, est chez elle plus fort que la concupiscence qui aurait pu lui faire dévier le regard ou la main.

27

La vie quotidienne est constituée d'événements fortuits, et peu nombreux sont les gens qui la laissent couler, se mouler dans ses propres sillons, se figer lentement et devenir histoire. Ma grand-mère, elle, triture, replie et concasse avec une énergie et un sans-gêne remarquables les faits à portée de sa main, heurtant au passage ceux qui y sont impliqués, dans l'intention de refondre l'existence selon son idée.

Il me semble qu'un premier amour, dans son innocence et sa pudeur, aurait pu échapper à ce remodelage vigoureux. Qu'y a-t-il de mal à ressentir les premiers effets du fluide qui entraîne hommes et femmes les uns vers les autres ? Y a-t-il quelque chose de plus candide, innocent et naïf que ces instants d'éveil ? Catherine avait ressenti ces frémissements à son heure. Elle devait les haïr beaucoup, pour empêcher qu'ils naissent autour d'elle.

Philibert, en 1938, est un jeune homme romantique, beau, timide et énergique. Par soubresauts, il sort de son adolescence frustrée, veut se sentir homme sans trop ressembler à son père, qu'il connaît mal, et sans prendre parti pour sa mère, qu'il affronte sans cesse pour conquérir un peu de liberté. Lui et elle sont deux aimants, s'attirant et se repoussant, se nourrissant de leurs contacts, de leurs querelles, de leur complicité. On pourrait avancer sans crainte de se tromper que c'est le fils préféré de sa mère, celui qu'elle aime châtier et récompenser, qui la fait rire sans arrêt, qui a assez de chien pour lui résister dès qu'elle lui cherche des poux.

Pourquoi Catherine n'a-t-elle pas pris sa voiture ce jour-là pour aller magasiner à Québec ? Parce que c'était l'hiver et qu'elle n'aime ni conduire ni que ses fils conduisent quand il neige, de peur de casser la belle Chevrolet. Elle saute dans l'autobus, le moyen de transport qu'elle juge le plus sûr. Ce jour-là, elle s'est trompée ; sur la route glacée, le car dérape et plonge dans le fossé où il s'écrase.

Elle y est immobilisée des heures, avec une douleur atroce au bras droit. On finit par la dégager et on la transporte à l'hôpital ; elle a tellement de contusions au visage qu'on enlève les miroirs de sa chambre pour éviter qu'elle s'y voie. Son bras a subi une vilaine cassure, et les médecins, après l'avoir soigné, lui annoncent qu'il ne se replacera pas. Elle ne peut plus se coiffer, elle peine pour s'habiller, et souffre au plus profond d'elle-même d'avoir perdu son élégance et la perfection de ses gestes.

À l'hôpital, elle fait la connaissance d'une infirmière avec qui elle se lie. Les amitiés de Catherine sont généreuses, enveloppantes, chaleureuses. Yvonne a vingt-six ans, Catherine est charmée par son éducation, sa délicatesse, son intelligence. Philibert, qui visite sa mère à l'hôpital, est impressionné ; Yvonne est tout ce que sa mère en a raconté, belle à ravir en plus, avec son sourire éclatant et ses yeux en amande. À la fin de son hospitalisation, Catherine invite sa nouvelle amie à passer quelques jours à l'hôtel, Philibert en remet, insiste, et Yvonne promet d'y réfléchir.

Sortie de l'hôpital, Catherine, insatisfaite du traitement que les médecins ont réservé à son bras, consulte un ramancheur. N'importe quoi plutôt que de supporter son infirmité. Le rabouteur maugrée, lui reproche de ne pas s'être présentée tout de suite après son accident et déclare ne pas pouvoir remettre l'os à sa place à moins de le casser une seconde fois. Catherine refuse, elle a assez souffert.

Elle revient à l'hôtel, le bras en écharpe, certaine de n'être plus utile à rien. Comment couper ses légumes, faire son ménage, son repassage, brasser les sauces et les goûter quand on ne peut pas lever le bras ? Philibert propose de le lui étirer trois fois par jour, le pliant et le dépliant pour en augmenter la mobilité, selon la recommandation des médecins. Elle accepte. Les larmes lui montent aux yeux à chacune de ces séances de torture, qui ont pour résultat que, quelques semaines plus tard, elle est à nouveau en mesure de se brosser les cheveux.

Entre-temps, la belle Yvonne est devenue une habituée des Bois-Francs. Elle participe aux fêtes du samedi, aux danses, aux jeux, au travail. Elle a une magnifique voix de contralto et un vaste répertoire de chansons, qu'elle interprète avec brio pour le plus grand plaisir de toute l'assemblée.

Philibert a l'impression d'avoir rencontré une femme extraordinaire. En sa présence, il s'émeut, il fond. Il la contemple, la fait rire, l'entretient, l'invite à danser plus souvent qu'à son tour. Il a dix-huit ans et il est amoureux pour la première fois. Yvonne ne décourage pas son intérêt ; elle est célibataire, Philibert est joli garçon et déploie charme et habileté. En plus, il a des yeux noirs pétillants, une vitalité débordante, une intelligence vive, de sorte qu'elle frémit d'aise quand il pose ses belles mains carrées autour de sa taille pour l'entraîner sur la piste.

Lui éprouve le plaisir de se sentir apprécié par cette grande femme désirable et intelligente. Il ne se fait aucune illusion sur les possibilités d'avenir de cet amour, il sait qu'il ne pourra ni le consommer ni l'avouer. La différence d'âge est trop importante, il ne veut pas avoir l'air ridicule. Sauf que rien ne l'empêche de garder précieusement son secret et de s'en nourrir.

Malheureusement, ce qu'il pense caché a été flairé par sa mère. La joie de son fils dégage un parfum particulier, une excitation légère dont elle décèle vite l'origine. Elle décide d'intervenir. Il ne sera pas dit que… quoi ? Qu'un de ses fils lui enlèvera son amie, qu'une de ses amies lui prendra son fils ou qu'elle permettra sous son toit un amour illicite ?

C'est trop facile de voyager d'une chambre à l'autre pendant qu'elle dort. Elle a toutes les raisons d'agir.

La situation est particulière ; c'est elle-même qui a ouvert sa porte à Yvonne, elle ne peut pas la renvoyer tout de go, ce serait impoli. Alors elle contourne le problème. Elle coince Auguste et lui ordonne d'accaparer l'infirmière, de l'inviter à danser pour enlever à Phil des occasions de s'en approcher, de la toucher.

Auguste, naïf, influencé par sa mère, tombe d'accord sur le fait que son cadet est trop jeune pour être amoureux et obéit. Il invite Yvonne à valser, à sortir — ô surprise, sa mère lui fournit de l'argent de poche —, tant et si bien que Philibert, qui se croyait le préféré de la belle à la voix de contralto, ne tarde pas à devenir jaloux.

Ayant paré au plus pressé, Catherine déplace son offensive sur le front adverse. Durant une séance de confidences, elle implore Yvonne de décourager Philibert en lui signifiant, par exemple, qu'elle préfère danser avec Auguste, être avec Auguste. Catherine est persuasive, Yvonne s'exécute, la mort dans l'âme.

À partir de là, la situation évolue à la vitesse de l'éclair. Philibert, laissé-pour-compte, jaloux, n'y résiste plus ! Il se fâche et gratifie Auguste d'une mémorable volée de coups de pied aux fesses. Yvonne, qui ne veut pas être l'objet de querelles entre les deux frères, cesse ses visites. Le problème de Catherine est réglé.

Philibert se mourra d'attendre sa belle, de ne plus la contempler. Il se résoudra à plier son cœur en deux, en quatre et en huit, à le fourrer au plus creux de la poche de son pantalon et à le coincer là pendant un an ou deux. Pour renoncer à elle, pour l'oublier.

Quelques semaines plus tard, les deux frères, réconciliés, se racontent tout. Philibert est estomaqué. Que sa mère soit à ce point mesquine et méchante le renverse. Cinquante ans après, il raconte cet épisode avec des larmes dans les yeux, de la nostalgie pour le jeune homme enthousiaste et emporté qu'il était et des regrets pour ce premier amour assassiné par sa mère.

Quant à Catherine, elle soupirera d'aise sans remords. L'ordre règne chez elle, sa réputation est intacte, et son fils, rentré dans le rang.

28

Automne 1938.

Régis vend des produits d'entretien ménager de maison en maison. Il tire un chariot derrière lui, marchant inlassablement dans les rues, printemps, été, automne et hiver.

Il n'a ni le charme de Philibert ni la belle tête d'Auguste, et n'est pas très communicatif. En revanche, il est bien bâti, il a un regard franc et un esprit vif. Il lui arrive d'insister, de s'accrocher, et ce trait pourrait certainement être positif dans des circonstances différentes ; ici, le résultat est que, assis dans une maison, à une table de cuisine où il présente sa marchandise, il a du mal à s'en relever, à sentir le moment pour s'esquiver. Il s'impose, un peu, beaucoup ou énormément selon les endroits. Aussi bien avouer qu'il n'est pas fait pour la vie de commerçant. Cependant, faute de mieux, il continue à parcourir les chemins de campagne en pensant à Jeanne, sa récompense, son idéal, son amour.

Elle, courageuse et désireuse de se marier autant que lui, le soutient.

— Tu trouveras un autre emploi, j'en suis sûre !

Et elle cherche pour lui — il est bourré de talent — sans succès.

Un jour de novembre, ils jugent qu'ils ont suffisamment d'argent pour faire le grand saut. Ils ne sont plus des enfants, Jeanne a fêté ses vingt-quatre ans et Régis les atteindra en février prochain. Ils fixent la date du mariage et s'apprêtent à publier les bans.

Auparavant, Régis veut s'acquitter d'un devoir filial qui lui pèse, l'annonce de son mariage à sa famille. Il n'a aucune volonté de s'y dérober. Il n'est pas rancunier; il a été mis à la porte de l'hôtel, soit, mais, depuis, il se sent mieux; il jouit d'une liberté de mouvement, de parole et de pensée nouvelle pour lui. Sorti des serres de son aigle de mère, il ne pense pas à se plaindre des engelures et de la fatigue quand il regagne sa petite chambre le soir, ou la fin de semaine chez les Turgeon, où il rejoint sa fiancée. Ce qui lui insuffle de l'espoir, c'est qu'il est à même de constater que toutes les familles ne sont pas aussi troublées que la sienne; celle où est née Jeanne fonctionne avec une harmonie agréable à observer.

Certes, Jeanne et lui cherchent vainement, chez les parents Turgeon vieillissants, des manifestations d'amour et d'attachement. Qu'à cela ne tienne, ils se promettent d'être différents, de se caresser, de se désirer et de se toucher le bout des doigts en frissonnant jusqu'à la fin de leurs jours.

De quoi est constitué l'amour entre ces deux-là? D'appréciation réciproque, du plaisir d'avoir été choisi parmi la multitude, de la douceur de Jeanne qui arrondit les angles et courbe la tête, qu'elle soit d'accord ou pas avec son futur époux, du contentement de Régis lorsqu'il la contemple, muette et obéissante. Jeanne pratique dévotement un adage très courant à cette époque: une épouse digne de ce nom ne contredit pas son mari. Au contraire, elle utilise son intelligence à adoucir la vie plutôt qu'à avoir raison. Chacun ses tendances, ses choix. Le contraste entre Jeanne et Catherine serait, à lui seul, suffisant pour que Régis soit attiré.

Il ne s'inquiète pas de savoir si sa future épouse pourra résister à Catherine, des forces dont elle dispose pour contrer la vague déferlante et noire de sa future belle-mère. Il imagine sans doute que sa mère se rangera, qu'elle entendra raison, qu'elle renoncera à sa colère et approuvera son mariage. Les parents normaux acceptent le choix de leurs enfants, les bénissent et leur souhaitent du bonheur; il arrive même, comble du luxe, que certains essaient d'y contribuer. Nul n'imaginerait qu'une mère veuille rendre ses enfants malheureux et briser leur ménage.

C'est fort de cette conviction née d'un tempérament confiant que Régis se présente aux Bois-Francs, le jour de Noël.

Il se réjouit à l'avance de sa visite. Il a hâte de revoir ses frères et sœurs et de se baigner dans l'atmosphère de l'hôtel ; le souvenir de l'odeur de tous les pâtés, gigots, tourtières et volailles farcies le fait saliver. Dorothée a développé l'habitude, depuis quelques années, de cuisiner pour les cousins et cousines, oncles et tantes qui viennent souhaiter la bonne année ; elle les attend avec impatience, emplissant les armoires et le garde-manger de nourriture, sans oublier la cave qui, fraîche, sert également de dépense. C'est sa façon d'apporter du bonheur autour d'elle. Plus il y en a, meilleur c'est, et plus elle est heureuse. Les mokas, les tartes et les gâteaux aux fruits s'additionnent, il y en a trop mais on mange tout. Noël, c'est sa fête à elle.

Chère Dorothée.

Le cœur de Régis s'émeut quand il y pense. Dorothée, c'est celle dont il se sent le plus proche. Il la voit prisonnière de Catherine qui ne la lâche pas d'une semelle, qui la considère comme sa servante. Il veut discuter avec elle, la convaincre d'éviter de gaspiller sa vie au service de sa mère, ce qui serait un sacrilège, une horreur.

Tout endimanché, le bonnet de fourrure enfoncé sur la tête, Jeanne à son bras, il ouvre la porte vitrée, celle qu'il a démolie le soir de son départ. On est au milieu de l'après-midi, le moment d'accalmie dans les activités de la journée. Il avance dans le couloir. C'est Dorothée qui les accueille.

— Que je suis contente de vous voir ! s'exclame-t-elle, surprise.

Ses yeux s'embuent. Elle embrasse les arrivants, les serrant dans ses bras par-dessus leurs vêtements givrés. Frémissante, excitée, elle les pousse dans le hall, les aide à enlever leur manteau, les invite à se réchauffer. L'arbre de Noël est à sa place habituelle, au pied de l'escalier, centre d'intérêt incontournable pour petits et grands. Selon son habitude, Dorothée y a suspendu toutes sortes de jolies décorations colorées. Les boules rouges et dorées scintillent, les guirlandes, abondantes, s'entremêlent avec art, les glaçons tombent jusqu'au sol et les cheveux d'ange se chevauchent en d'innombrables volutes translucides.

Le cœur de Régis se soulève de joie. Sa sœur lui a manqué, l'hôtel aussi. C'est émouvant de revoir sa maison.

Camille entend du mouvement, sort de son bar et vient les embrasser. C'est Noël, il s'est forcé — aime-t-il plus la Nativité que le jour de l'An ? —, il a mis son bel habit, s'est rasé, coiffé et aspergé d'eau de Cologne. Auguste surgit de la cuisine où il lavait la vaisselle, Maria, de la salle à manger où elle préparait les tables, Philibert du bar où il rangeait des bouteilles, et Murielle, de la salle d'échantillons où elle piochait le *Minuit, chrétiens*, version piano. Ils sont tous là, heureux d'accueillir leur frère et inquiets de la réaction qu'aura leur mère.

Elle ne tarde pas à les rejoindre.

— On veut te souhaiter joyeux Noël, maman, déclare Régis, engageant. Joyeux Noël, toute la famille !

— Tu t'attends pas à recevoir des cadeaux, j'espère, réplique Catherine.

Régis ne relève pas cette remarque mesquine.

— Je vous en ai pas apporté non plus, je m'excuse. J'avais pas les moyens. On se marie dans six semaines.

Ses frères et sœurs figent sur place. Ils ont été témoins du fait que leur mère ne perd pas une occasion de pester contre Jeanne qu'elle considère inerte, dépourvue de charme, d'intelligence et de talent.

— Si tu penses qu'on va y assister, tu te trompes, mon petit gars, rétorque Catherine sans une seconde d'hésitation.

— Voyons, maman... proteste Dorothée.

Catherine l'interrompt :

— Je l'encouragerai pas à faire son malheur.

Elle regarde ses autres enfants avec un air de reproche.

— Vous étiez pas en train de travailler ?

Camille porte la main à sa montre de poche, signe qu'il contient son irritation.

— Catherine ! C'est Noël. Ils peuvent prendre une heure ou deux de congé !

— Si vous vous mettez tous contre moi, je vois pas pourquoi je reste ici ! déclare-t-elle, vexée.

Elle tourne le dos et franchit, la tête haute, les portes de la cuisine. Une fois là, incapable de se retirer pour de vrai, elle sort son buste dans l'ouverture et s'adresse à tout le monde réuni dans le corridor, avant de disparaître :

— S'il y en a un en retard ce soir, il aura affaire à moi !

Le père et les enfants, soufflés, ulcérés ou peinés, n'osent réagir. Dorothée se dégèle la première, secouant sa crainte.

— Assoyez-vous ! Je vous sers un morceau de gâteau avec une tasse de thé !

À la fin de janvier, quelques jours avant le mariage, Catherine se paye la plus longue et la plus formidable crise d'hystérie de son existence, si aiguë qu'autour d'elle on croit ses dernières heures venues. Un prêtre est appelé à son chevet pour lui donner les derniers sacrements, ses enfants se relaient pour la rassurer, l'encourager à vivre, lui apporter petits plats, douceurs, bonbons et pain de blé rassis, celui qu'elle préfère.

Elle en profite pour leur défendre d'assister à la cérémonie et menace de ne pas leur pardonner s'ils lui désobéissent. Tergiversations, protestations, mécontentements ne suffisent pas, ils auront le courage de défier son autorité et elle en concevra un désespoir délirant. Camille, lui, a promis d'être le témoin de Régis, il ne se récusera pas ; quelle sorte de père serait-il s'il ne participait pas au mariage de son fils, la chair de sa chair ?

Cela raffermit l'intention de Catherine de boycotter la cérémonie. Non seulement elle déteste sa future belle-fille, en plus elle a honte de Camille qui, selon elle, émet sans arrêt des blagues de mauvais goût. Elle répète à qui veut l'entendre que, quand il a rencontré Jeanne, il l'a accueillie avec ces mots :

— Deux pouces de jambes, le cul par-dessus !

La pauvre en a été tellement insultée qu'elle a rougi jusqu'à la racine des cheveux. Catherine a été plus offensée qu'elle, si cela est possible. Non, Camille n'a pas de manières. Elle, qui sait se conduire en société, qui est un exemple de civilité et d'intelligence, ne veut pas être vue en sa présence ; là où il va, elle ne va pas, point à la ligne.

Malgré ce déploiement sans précédent de tactiques d'intimidation, Dorothée, Murielle, Maria, Philibert et Auguste se rendent à l'église le jour du mariage. Soudés, solidaires, ils ont plus de force. Catherine aurait sans doute gagné si elle avait pu les diviser, mais ils lui ont résisté d'un seul souffle.

En février 1939, dans l'église de Victoriaville, en l'absence remarquée de sa mère, Régis Pelletier convole donc en justes noces avec Jeanne Turgeon, vêtue ce jour-là d'une splendide robe de velours, dont la couleur bleu acier met en valeur ses yeux pâles, son teint ivoire et ses cheveux blonds. En guise de bouquet, elle porte un missel orné de rubans et de fleurs. Son père, Napoléon, lui sert de témoin.

La cérémonie est empreinte d'une vague tristesse. Régis se sent orphelin. Sa vie passée n'a été ni facile ni agréable, et la condamnation de sa mère lui fait craindre pour son avenir. Heureusement, son cœur fond quand il pense à la douceur de Jeanne. La douceur, la douceur.

La douceur de Jeanne.

Les nouveaux mariés ne partent pas en voyage de noces, ils n'en ont pas les moyens. Les premiers mois de leur vie commune, ils s'installent chez les Turgeon, qui viennent de déménager presque en face des Bois-Francs. Catherine ne pourra plus oublier un seul instant que son fils lui a fait l'affront d'épouser, sans son consentement, une fille qu'elle n'a pas agréée.

29

Été 1939.

Des rumeurs de guerre circulent, persistantes, et l'armée canadienne est en plein recrutement. On le sait partout, dans la province, à l'échelle du pays.

Dans la cuisine de l'hôtel, les discussions vont bon train. Catherine peste contre les restrictions qui déferleront sur elle et sa famille. Avant la crise, elle a vécu la guerre de 14 et elle espérait, comme tout le monde, que les grandes catastrophes de l'histoire la laisseraient en paix jusqu'à sa mort. En vain.

La perspective d'un conflit l'ennuie et la chagrine. Le pire c'est que ses fils risquent d'y être mêlés. Pour l'instant, l'enrôlement est volontaire et les politiciens jurent qu'il n'y aura pas de conscription ; elle n'a pas confiance, ils ont fait la même promesse en 1916.

Pour ajouter à son désagrément, Auguste et Philibert sont intéressés à s'engager dans l'armée. Pas par patriotisme, uniquement parce qu'être soldat représente une aubaine. Ils seraient logés, nourris, vêtus et, comble du luxe, ils recevraient un salaire pour leur peine. Ils en rêvent tout éveillés. Auguste pourrait s'enrôler en juillet, en atteignant sa majorité, et Philibert, trop jeune, a envie de mentir sur son âge pour être accepté.

Catherine les menace :

— Si vous devenez soldats, je vous renie. J'ai trop besoin de vous ici.

Message reçu, les garçons attendent leur heure, n'osant la défier pour le moment. Ni l'un ni l'autre ne souhaite marcher sur les traces de Régis, à qui elle a défendu de reparaître devant elle, qui n'a pas osé lui désobéir, et qu'ils n'ont pas revu depuis des mois. Pour ce qui est de ce fils rejeté, Catherine, qui y pense sans l'avouer, se rassure; il a les pieds plats, il ne franchira pas le cap de l'examen médical.

La peur de perdre ses garçons aux mains de l'ennemi n'empêche pas Catherine de les tenir en laisse; l'éventualité d'une guerre ne suffit pas à influencer la stricte application des principes qu'elle défend.

Un dimanche, alors qu'elle goûte les plats au menu du dîner, Olivine, une employée engagée il y a quelques semaines, lui raconte, les yeux fuyants, qu'elle a aperçu Auguste dans le dortoir des gars en compagnie de Louison — c'est possible, Louison est obligée de le traverser pour rejoindre sa propre chambre —, et que les deux avaient l'air de se conter fleurette.

Louison, qui serait coupable de la prétendue scélératesse, est jolie, souriante et appétissante, tandis qu'Olivine a les dents longues et obliquant vers l'avant, des yeux de lapin — ça complète le tableau —, et promène partout son air furtif et son jugement étriqué; on ne s'étonnera pas que, mue par la jalousie, elle s'empresse de rapporter le «terrible» incident à Catherine. Elle aurait aimé en surprendre plus, pouvoir affirmer que Louison et Auguste se touchaient ou, mieux, qu'ils forniquaient, cela aurait été le fin du fin, le *nec plus ultra* des racontars et des scandales, mais mensonger. Inutile, surtout, parce que, sans vérifier la véracité de ce que la servante aux yeux convergents lui raconte, Catherine se met en colère.

Elle monte au troisième de son pas lourd, pour constater que les lieux ont été désertés. Auguste, qui aime être dans le bon, le bien, le vrai et qui a, pour la religion, un goût prononcé, une attirance presque sensuelle, est parti assister à la messe. Essoufflée, bredouille, elle redescend à la cuisine.

L'heure et demie pendant laquelle elle s'impatiente est d'une importance cruciale dans la suite des événements. Incapable de mener sur-le-champ l'interrogatoire qui lui aurait révélé la version de son cadet, elle dramatise, enfle l'histoire relatée par Olivine à un point tel qu'elle devient incapable d'en supporter ne serait-ce que la pensée.

À bout de patience, elle n'hésite plus. Elle ne questionne pas la coupable Louison, les jeunes et jolies filles sont plus susceptibles que les autres de commettre des péchés de la chair et on ne doit avoir pour elles ni indulgence ni pardon. Gonflée à bloc comme une voile pleine de vent, elle rejoint la jolie servante, cette dégénérée, et lui hurle son congé. La pauvre n'y comprend rien. Elle rassemble ses affaires et part sans avoir revu Auguste, sans s'expliquer pourquoi la patronne la traite de traînée. Cela accompli, Catherine continue à attendre Auguste, résistant sans effort à Dorothée qui ose lui suggérer le calme et la justice.

Les minutes s'égrènent et les humeurs de Catherine sont des tisons sur lesquels on aurait aspergé de l'essence. Quand Auguste franchit enfin la porte de l'hôtel, elle éclate si fort qu'il se cacherait sous un lit s'il le pouvait. Incapable de lui expliquer les raisons de sa colère, elle ne sait que crier:

— Sors de ma maison, vicieux! Ça se montre à la messe et ça passe son temps à pécher! As-tu confessé ta débauche, au moins?

Il est touché au cœur. Lui qui s'est efforcé de faire aussi peu de vagues que possible et de la servir avec application, qui a choisi de ne pas s'insurger ou se révolter, de ne présenter aucune requête qu'elle aurait pu refuser, qui est devenu celui à qui on n'a rien à reprocher, est renversé par cette injustice. Contrairement à ses prévisions, sa conduite impeccable ne lui a pas évité l'arbitraire. Il est défait, battu.

Il tente de se défendre, il bredouille, incapable de terminer une phrase, le débit de sa mère étant trop abondant. Il n'insiste pas et remplit sa valise pendant qu'elle se poste à côté de lui, soi-disant pour qu'il n'emporte rien de ce qui ne lui appartient pas. Il descend, assommé par ses commentaires injurieux. Elle ne se calme qu'après avoir claqué la grande porte vitrée de l'hôtel sur lui.

Philibert le rejoint en courant dans la rue ; la voix tremblante, il le supplie :

— Ti-Gus, reviens plus tard, quand elle sera calmée.

Auguste, muet, hoche la tête, les larmes aux yeux. Philibert insiste :

— J'ai juste à la faire rire, elle va te pardonner. Reviens !

— J'ai rien à me faire pardonner. Il y a des limites à être traité en chien.

Il continue à marcher, obstiné, tête baissée. Philibert lui colle aux talons :

— Il faut que tu dormes quelque part !

— Ne t'inquiète pas pour moi, l'armée a des lits, sanglote Auguste, apeuré par cette perspective.

Être soldat, ce n'est pas que recevoir un salaire, c'est combattre, et il déteste guerroyer en paroles autant qu'en gestes. C'est le genre d'homme qui emprisonne ses réactions.

Philibert s'arrête, interdit. Il pleure à son tour :

— Ti-Gus, va pas te faire tuer ! Laisse-moi pas tout seul !

— J'ai pas le choix, réussit à articuler Auguste, si aveuglé par ses larmes qu'il doit ralentir le pas.

Philibert, planté sur le trottoir, stupide, pleure tellement que de grosses larmes salées et de la morve coulent sur son visage. Auguste le regarde et lui crie d'une voix étranglée :

— Retourne à la maison, sinon tu vas te faire battre !

Il sait ce que c'est, Catherine lui a cassé un manche à balai sur le dos, un jour où elle était de plus méchante humeur qu'à l'habitude.

— Bientôt, je serai plus fort qu'elle ! réplique Philibert, fier, en se mouchant avec sa manche.

Il a raison. Il est plus court qu'Auguste, plus tassé, trapu, il a les épaules droites et larges — celles d'Auguste sont tombantes —, et il s'entraîne, grimpant l'arche sur le côté de l'hôtel plusieurs fois par jour à toute vitesse, ou gravissant une échelle de la hauteur du bâtiment avec ses bras seulement. Il croit à la force physique, il ne veut surtout pas être malingre.

Abandonnant Philibert derrière lui, Auguste avance jusqu'au bout de la rue, le cœur gros, étourdi, étonné et mal à l'aise d'être libre. Il pense à faire demi-tour, sa fierté le lui interdit. Où dormira-t-il ce soir ? Bonne question. Si l'armée ne veut pas de lui, Phil lui ouvrira la fenêtre du bar, il sera au chaud et Catherine n'en saura rien puisqu'elle n'y met pas les pieds. Il se ravise ; non, il saisit sa chance de s'éloigner, l'armée le prendra, il continue à marcher. Plus il avance, moins il a envie de rentrer.

Il rêve d'un foyer où personne ne criera, où la vie quotidienne sera menée avec ordre et intelligence dans le respect des personnes, dans le silence, un havre où régnerait la justice entre les êtres. Celui qu'il bâtira, lui, sera calme, très calme. Chez lui, on rira, on s'amusera et on saura de quelle façon l'argent est dépensé.

Il continue, emporté par son rêve. Il est étonné que sa vision le propulse, que son cœur se soulève, batte à coups rapides, emportés. Il goûte à la liberté et il a peur. Un monde capricieux est un monde hostile, il serait incapable d'y fonctionner, d'y vivre.

Il parvient à l'endroit où ses pas le conduisaient, au bureau de l'armée canadienne. Il offre ses services. Le médecin qui l'examine est celui qui a soigné sa fracture à la jambe, il y a dix ans. Ils se reconnaissent, échangent des plaisanteries, des confidences. Auguste est accepté, il signe, il est enrôlé. Soulagement. Satisfaction. Ce soir, il aura un uniforme neuf et propre, des bottines cirées, un horaire régulier — jamais il n'aura dormi autant — et un salaire !

On l'envoie faire son entraînement à Montmagny. Lui qui n'a pas eu l'occasion de sortir de Victoriaville depuis qu'il y a déménagé il y a onze ans est ravi. Il visitera un peu son pays, enfin. Il a quitté sa mère criarde, possessive, intelligente, débrouillarde et créatrice, son père tenancier de bar, joueur de cartes, entêté, honnête et doux, et il entre dans son avenir en marchant au pas cadencé des soldats.

Auguste parti, ses sœurs le regrettent ; c'était le plus tranquille de la famille, celui auprès de qui elles aimaient se réfugier. Murielle apprend à coudre pour oublier son chagrin, Maria se résigne, c'est sa nature, les deux retournent au pensionnat où elles oublient son absence. La vie reprendra ses droits. C'est Dorothée qui souffre le plus. Elle observe le comportement maternel et s'inquiète de savoir qui sera le prochain à prendre la porte. Philibert, sans doute, c'est le dernier des trois fils. En ce qui la concerne, elle n'a pas peur, elle est trop utile ; c'est un bien pour un mal, elle aimerait avoir les coudées franches quelquefois, un chouïa de latitude. Sauf que sa mère laisse encore moins de liberté aux filles qu'aux garçons.

Si Catherine regrette d'avoir précipité le plus beau de ses fils à l'armée, rien ne paraît. La vie à l'hôtel ne change pas, si ce n'est que c'est désormais Philibert qui assume le travail d'Auguste. Il dispute, réclame d'être un peu payé mais, fait étrange, Catherine et Camille, quand il s'agit de ne pas donner de salaire, sont d'accord. Voyageurs, clients pour les corsets et le bar se succèdent sans discontinuer. La patronne s'achète de superbes chapeaux, n'assiste pas à la messe, sa salle à manger est très fréquentée. Pour Noël, elle confectionne de mémorables manteaux de fourrure à ses filles et des robes qui s'ajustent à leur taille même si elles n'ont pas été essayées.

Au printemps qui suit le départ d'Auguste, on entend des cris provenant du petit escalier étroit qui monte au troisième. Elle a raté une marche avec ses hauts talons et elle est tombée. Elle est incapable de se relever. Elle est si lourde qu'il faut deux hommes pour la décoincer. Son bras droit, celui qu'elle avait fracturé lors de son accident d'autobus, pend lamentablement, cassé à nouveau.

Elle séjourne deux semaines à l'hôpital, revient chez elle où elle doit subir les étirements douloureux qu'elle connaît et qui lui rendront juste assez de mobilité pour porter sa tasse à sa bouche.

Quand j'étais petite, j'étais intriguée par ce drôle de bras dont le coude pliait mal; ce qui m'impressionnait le plus, toutefois, et cela vaut pour les deux bras, c'était que la peau et la graisse, sous l'humérus, pendouillaient comme une oreille d'éléphant. Elle en avait eu honte durant des années, avait fini par l'accepter et portait des robes à manches courtes si la saison s'y prêtait.

Ce dont elle n'avait pas honte, en tout cas, c'était de sa conduite vis-à-vis de ses enfants. Elle était incapable d'imaginer qu'elle pouvait avoir tort.

Auguste, dénué de toute rancune à l'égard de sa mère, ou porté par un sentiment filial d'une intensité peu commune, débarque un jour à l'hôtel à l'occasion d'une permission, six mois après en avoir été chassé — il est moins orgueilleux que Régis. La première réaction de Catherine est de s'extasier: il est si séduisant dans son uniforme!

— C'est-y Dieu possible que ça soit sorti de moi, ce beau grand garçon-là!

Sa deuxième réaction est fort différente.

Auguste dort aux Bois-Francs, heureux d'avoir rebâti les ponts avec sa mère. Le lendemain matin, à sa surprise, Dorothée, mal à l'aise, fait irruption dans sa chambre.

— Maman veut que tu lui demandes pardon!

Il fronce les sourcils.

— Pardon de quoi?

Dorothée, qui n'aime pas sa tâche de messagère, hausse les épaules.

— Je ne sais pas.

Elle est partisane de la non-résistance à Catherine, l'attitude la plus intelligente et la plus élégante pour résoudre les conflits, selon son expérience. Elle ne connaît pas le fin mot de l'histoire du départ d'Auguste, et elle a

195

tendance à penser que c'est Catherine qui a raison. C'est plus simple.

Auguste a vieilli, mûri, il refuse d'autant plus de reconnaître une faute qu'il n'a pas commise.

— J'ai rien à me reprocher, déclare-t-il.

Et, sans rien ajouter ni saluer sa mère, il reprend le train pour Montmagny.

Des années après, il me confie qu'il est certain que Catherine, au moment où elle l'a mis à la porte, ne s'attendait pas à ce qu'il disparaisse. Elle voulait simplement le mater, l'obliger à revenir, piteux et soumis, pour s'excuser. De quoi? C'est un mystère qu'il n'a pas encore percé.

Il précise que, sans doute, elle aurait aimé garder tous ses fils sous son aile et que ces rejets, quels que soient les prétextes utilisés, étaient destinés à se les attacher de plus près.

L'idée était bonne. Je connais des couples qui fonctionnent de cette façon durant toute leur vie. Son erreur est d'être allée juste un peu trop loin.

30

Un an plus tard, au printemps de 1941, le bel Auguste à la tête ronde se fiance à une jeune et jolie fille du nom de Lucienne Laberge, qu'il a rencontrée dans une salle de danse à Montmagny. Elle est blonde, délicate, a travaillé comme téléphoniste chez Bell et a quitté son emploi pour prendre soin de son père vieillissant. C'est la dernière d'une famille de quatorze enfants élevés dans une ferme par un homme si bon qu'il a été escroqué et a perdu sa terre. Il paraît qu'elle et Auguste sont si élégants et accordés quand ils dansent qu'on s'attroupe autour d'eux pour les applaudir.

Ils ont vingt-trois ans et sont prêts à s'épouser. Auguste décide, en fils respectueux, de présenter sa fiancée à sa famille. Ils montent dans le train un vendredi matin à Montmagny et en débarquent à Victoriaville le soir.

Ils sont reçus par Catherine qui est tout sourire, gentillesse et conversation agréable. Ils festoient, s'amusent des frasques d'Auguste enfant et du fait qu'il mangeait des fèves au lard à six mois, tout va très bien, madame la duchesse. L'ex-enfant est soulagé de l'attitude de sa mère et apprécie son savoir-vivre ; il n'avait pas envie de créer une commotion qui apeurerait sa fiancée, ce n'est pas un heureux départ pour une vie de couple que de se quereller avec la belle-mère.

Les futurs époux se mettent au lit, dans des chambres différentes, totalement rassérénés. Mal leur en prend parce que Catherine, sitôt qu'elle se lève, frappe à la porte de

Lucienne. Assise au bord de son lit, elle entreprend de la dissuader d'épouser Auguste.

— Il est paresseux, un vrai ours ! Impoli, désorganisé, c'est un vaurien qui ne sait pas se tenir, un malhonnête qui vole dans la caisse de son père, un menteur à qui tu ne pourras jamais faire confiance, un vicieux qui court après toutes les filles.

Tout un réveil ! Lucienne émerge de la brume et elle est agressée par ce flot ininterrompu de paroles désagréables. Muette d'étonnement, elle s'enfonce dans son matelas, creusant l'empreinte de sa tête dans l'oreiller de plumes, incapable d'arrêter Catherine dans sa course folle. Heureusement, Auguste lui avait glissé un mot des extraordinaires sautes d'humeur de sa mère qui un jour adore et le lendemain déteste, qui un mois bénit et le mois d'ensuite excommunie.

— La nuit la fait virer du bleu au rouge, la lune lui tourne les sangs, a-t-il expliqué en haussant les épaules.

Catherine épuise son répertoire de bêtises. Lucienne, abasourdie par la force de l'attaque, respire un bon coup et affirme d'une voix mal assurée :

— Madame Pelletier, je le connais, Auguste, et je l'aime.

Catherine, dégoûtée, se lève.

— Je t'aurai prévenue, ma fille.

Et elle sort sans un regard derrière elle.

Dans le couloir, Lucienne raconte tout à Auguste. Il voit rouge. Il n'est pas revenu chez lui pour qu'on lui casse du sucre sur le dos. Pour lui, il n'y a qu'une solution à cette situation désagréable :

— Viens ! ordonne-t-il à Lucienne d'un ton qui ne souffre pas de réplique. On retourne à Montmagny.

Les fiancés écourtent la fin de semaine qu'ils avaient prévu passer à l'hôtel, ramassent leur petit bagage, se rendent à la gare et sautent dans le train. Auguste a appris à la dure école que, plus il est loin, moins sa mère peut l'atteindre.

Dorothée, quelques jours plus tard, relate à Philibert ce qu'elle connaît des événements qui ont provoqué la volte-face de son frère ; fâché, il proclame que sa mère est folle et qu'on devrait l'enfermer.

Le printemps suivant, la maisonnée reçoit tout de même l'invitation au mariage, qui aura lieu à Montmagny. La noce sera célébrée chez Lucienne, où les nouveaux époux habiteront en compagnie de M. Laberge père ; le futur est trop incertain, ils sont prudents.

Pour ce deuxième mariage d'un membre de sa lignée, Catherine s'y prend à l'avance. La stratégie de l'interdiction d'y assister, elle l'a compris, ne serait pas très populaire auprès de ses enfants ; le pire, c'est qu'elle, qui adore les fêtes, serait obligée de s'en priver. Elle réfléchit. Comment s'organiser pour aller à la noce avec ses enfants, mais sans son mari ? Car elle refuse de se présenter en public en présence de cet homme qui lui fait honte !

Elle imagine très tôt un premier stratagème. Elle invente un gros mensonge pour Camille ; elle lui affirme sans rire que, étant donné qu'Auguste est soldat, c'est un officier qui doit lui servir de père, que c'est prévu dans le règlement et que personne ne peut y déroger. Sans vérifier auprès des forces armées, le pauvre Camille avale cette grosse couleuvre. Un à zéro pour elle !

À présent, il s'agit de l'empêcher de se déplacer à Montmagny ; même s'il n'y est pas témoin, il voudra assister à la cérémonie !

Elle prend le temps qu'il faut pour mettre ses manœuvres en place. D'abord, elle lui raconte que des sous disparaissent des tiroirs-caisses malgré leur vigilance, que l'hôtel est la proie des voleurs. Pour prouver ce qu'elle invente, elle dérobe plus d'argent qu'à l'habitude au bar et en soustrait de la caisse du hall d'entrée. Résultat, Camille ne tarde pas à constater qu'il a un problème de liquidités. Qui est le coupable et de quelle façon procède-t-il ? Il n'a aucun indice, ce qui l'oblige à conclure que la surveillance ne doit pas être relâchée un seul instant. Pour arrimer son bonhomme, Catherine le convainc que ce serait imprudent, voire suicidaire, qu'ils s'éloignent ensemble de leur gagne-pain ; l'occasion serait trop belle pour les malfaiteurs de faire main basse sur l'argenterie, la vaisselle, l'argent, tout ce qu'ils possèdent de plus précieux.

Ce n'est plus une couleuvre, c'est un serpent tout cru et vivant que Camille gobe, cette fois. Bonne âme, inquiet, il accepte de se dévouer ; pour procurer à ses enfants la chance de s'amuser, il veillera sur l'établissement.

Victoire totale pour Catherine ! Elle se paie un chapeau extravagant, confectionne une jolie robe à chacune de ses filles et achète à Philibert son premier vrai costume trois-pièces.

C'est la raison pour laquelle Camille est absent des photographies du mariage d'Auguste. Par contre, le couvre-chef à large bord de Catherine est en évidence, cachant le visage de Maria et s'imposant entre Régis et Jeanne, pour les éloigner l'un de l'autre.

Les péripéties inouïes de ce mariage ne sont pas terminées. Que non ! Catherine a plus de souffle que ça. Empêcher Camille d'assister à la noce de son fils n'est qu'un hors-d'œuvre pour son appétit d'ingérence, lequel est mû par la conviction profonde d'être le meilleur juge de ce qui convient à chacun des êtres qui l'entoure.

Les nouveaux mariés projettent de se rendre au rocher Percé pour leur voyage de noces et ils ont besoin d'une voiture. Auguste, en grand naïf qu'il est, demande à sa mère de lui prêter la Buick flambant neuve qui a remplacé la Chevrolet verte. Il conduit bien, elle ne craindrait pas de se faire bousiller son beau gros cabriolet.

Catherine n'est pas prêteuse — ... c'est son moindre défaut ! —, elle aime avoir ses biens à portée de la main pour les toucher et les contempler à loisir. Elle tergiverse, hésite et finit par accepter de prêter sa voiture, à condition qu'elle et ses filles partent en voyage avec les époux ; aucune n'a visité la Gaspésie, elles auraient besoin de petites vacances et elles promettent d'être discrètes — à quatre contre deux, c'est facile, non ? Auguste et Lucienne tiennent à ce voyage, ils n'ont pas d'ami à qui ils pourraient emprunter une voiture, M. Laberge n'en possède pas, ils acceptent donc.

Sur les photos du voyage de noces, les cinq filles — Catherine, ses trois filles et Lucienne — posent à la queue leu leu, Auguste est au bout de la file et sa femme n'est pas toujours la personne la plus proche de lui. Il y a aussi des scènes de pique-nique en famille et un instantané charmant où les nouveaux mariés sont tout près de s'embrasser. L'avantage d'être plusieurs à aller en voyage de noces est qu'on peut voir les époux ensemble sur les photos, je suppose.

Camille, lui, garde le fort à Victoriaville en compagnie d'un Philibert soulagé de l'absence de sa mère ; il peut fréquenter les filles sans se faire traiter de « coureux de chiennes ». Catherine, qui reproche à son mari un humour lourd, oublie que, certaines fois, son langage ne brille pas par sa délicatesse.

Le voyage terminé, Auguste et Lucienne entreprennent leur vie de couple à Montmagny, où leur bonheur risque d'être de très courte durée. L'armée n'a pas que de bons côtés. C'est bien, l'uniforme, la discipline, la clarté dans les rapports hiérarchiques, la solde versée toutes les semaines, il n'empêche que le vrai métier du soldat, c'est la guerre, pas la parade.

La situation s'est dégradée en Europe et les Alliés, retraités en Angleterre, manquent de combattants. Était-ce avant Dieppe ou après, je ne saurais le préciser, mais Auguste est un des soldats destinés à être envoyés au front — il dit « de l'autre bord ». À l'instar de beaucoup de ses compatriotes, il n'est pas contaminé par la ferveur patriotique que le gouvernement essaie d'insuffler à sa population, à ses soldats en particulier. Les Allemands ne sont pas très sympathiques, d'accord, sauf qu'ils ne nous menacent pas ici, sur notre sol.

Et quand on est beau, grand, en santé et qu'on vient de se marier, pourquoi courrait-on après les blessures, les mutilations, la faim et la mort? La perspective n'offre aucun intérêt.

Pour éviter le dangereux voyage outre-Atlantique et les champs de bataille, il faudrait qu'Auguste soit retiré des unités combattantes. Mais comment, puisqu'il est, justement, beau, grand et en santé?

Il a une idée. Pour la mettre à exécution, il a besoin d'un complice. Il a de la chance, le médecin militaire à Montmagny est celui qui l'a admis à l'armée il y a trois ans. Cher Auguste! La jambe où il a subi cette damnée fracture lui fait soudain très mal, il s'en plaint, il souffre, il geint, ses capacités à la marche et au combat sont un peu, beaucoup, énormément diminuées.

Le praticien l'examine, ne trouve pas l'origine de la souffrance — et pour cause! — et inscrit sur sa fiche «douleurs consécutives à une mauvaise fracture». Cette simple petite phrase a le résultat escompté: il est placé sur la liste des éclopés, des bons à rien, des réservistes, de ceux qui resteront au pays! Il n'a pas une seconde de remords; au contraire, il est ravi! Il est promu sergent-major et reçoit pour mission d'entraîner de nouveaux soldats; parmi toutes les régions où on lui donne le choix d'exercer ses talents, il choisit le Bas-du-Fleuve.

Avec Lucienne, il s'installe à Saint-Norbert, où il a passé sa petite enfance et dont il garde un souvenir ému. Il y rejoint la tribu des Pelletier, ses oncles et ses tantes du côté paternel. Son oncle Ernest, époux de la désormais feue Albertine, lui offre un emploi au bureau de sa scierie. Heureux, il accepte. Dorénavant, il gagne deux salaires: celui du comptable qu'il est devenu en terminant sa onzième année commerciale, et celui du sergent-major qui forme des réservistes le soir. Il est d'autant plus satisfait de sa situation que Lucienne, après deux ans d'attente, est enceinte de son premier enfant.

Quant à Catherine, si elle est heureuse que son fils évite les tranchées et les bombardements, elle déplore qu'il prenne plaisir à s'éloigner d'elle. Elle a fini par accepter Lucienne, dont elle apprécie l'intelligence et les qualités de cuisinière. Au contraire de Jeanne, elle aurait aimé la garder auprès d'elle.

Toutefois, ces regrets sont minimes dans ses journées et ses pensées, occupées depuis quelques mois par un important, un immense projet : changer de vie.

31

À la suite de leur mariage, pas une seule fois Régis et Jeanne n'ont mis les pieds à l'hôtel, et pourtant ils habitent presque en face. Régis souffre de cette situation ; sa famille lui manque, son père, entre autres, avec qui il aimerait discuter guerre et religion, en fin d'après-midi, devant une bière. Si, de l'hôtel, on lui adressait un signe, il accourrait à toute vitesse mais, nenni, rien ne vient à lui, si ce n'est le regard chagriné de Dorothée aperçu à travers la vitre certains soirs, et il est trop rancunier pour faire les premiers pas.

Il a eu un fils, prénommé Gatien. Des voisins ont informé Catherine de cette naissance, elle en a été atterrée, certaine que sa bru ne saurait pas tenir maison et élever une famille. Jeanne est enceinte pour la deuxième fois, Catherine le sait, elle constate ses rondeurs quand elle l'aperçoit dans la rue, mais n'ouvre pas son cœur ni sa porte pour autant.

Régis a suivi les conseils de Jeanne, qui refuse de le voir gaspiller son talent à vendre des produits d'entretien domestique, il a été engagé à Montréal dans une usine de guerre. La réputation de la Forano, l'aciérie de Plessisville, est si bonne qu'il n'a eu qu'à prétendre y être allé pour être embauché ; il s'est bien gardé d'ajouter qu'il n'y a pas travaillé. Sa petite famille doit donc déménager.

Devant son départ imminent, il met sa rancœur de côté et décide de se réconcilier avec sa mère, de l'amadouer, de faire fondre sa colère avant de prendre le large. Il ne peut pas imaginer que son attitude dure jusqu'à la fin de ses jours et, surtout, il veut offrir à ses enfants une famille normale, avec deux grands-mères et deux grands-pères. D'ailleurs, il a la certitude que Catherine et Camille adoreront leur petit-fils, le premier de la deuxième lignée.

Il mûrit sa résolution quelques jours, cherchant une façon de procéder. Aller parler en tête à tête avec Catherine ? Elle sait résister aux discours des autres, le sien étant plus habile et plus construit. Lui offrir un cadeau ? Il n'en a pas les moyens. Finalement, il détermine qu'il vaut mieux ne pas s'aventurer dans des voies sans issue et se conduire selon sa nature, directe, toute d'un bloc. Un midi de semaine, sans prévenir, il arrive à l'hôtel avec Jeanne et bébé Gatien chic, joufflu et adorable dans ses bras.

Ils sont reçus dans le hall par les exclamations émues de Dorothée qui les embrasse avec chaleur. Régis est son pré-féré, son confident, son jumeau, presque, il lui manque, elle s'inquiète pour lui. Elle fond en voyant le petit. Et de le prendre et de le caresser, de lui donner des baisers, de le re-garder et de le soulever tandis qu'il gigote avec vigueur et lui fait des yeux doux.

— C'est tante Dorothée, mon trésor. Oui, mon bébé. T'es beau comme un cœur !

Elle ne peut pas s'attarder, il est midi, les clients la ré-clament.

— Vous mangez ici ? leur offre-t-elle, ravie.

— C'est pour ça qu'on est là, affirme Régis.

Heureuse, elle les installe tous trois à la table la plus près de la cuisine, pour forcer Catherine à les apercevoir.

La duchesse est à ses fourneaux, ceinte d'un tablier d'une blancheur immaculée, et elle porte une cuiller à sa bouche avec son bras droit, celui qui plie bizarrement.

— Maman ! Régis et Jeanne sont ici ! lui annonce Doro-thée sans préambule.

— Mon Dieu Seigneur ! s'exclame-t-elle, surprise.

Elle pose sa cuiller un instant, émue. Elle contrôle ses sentiments et reprend sa cuiller.

— Qu'est-ce qu'ils veulent ?

— Manger. Et te saluer. Ils déménagent à Montréal. Ils ont le bébé avec eux.

— S'ils dînent, je veux qu'ils paient, ordonne Catherine.

Elle se rend au lavabo et y verse la sauce qu'elle se préparait à goûter, preuve qu'elle est plus remuée qu'elle veut le laisser paraître.

— Qu'est-ce qu'ils prennent ?

— Du bouilli, répond Dorothée.

Catherine, après avoir jeté un œil rapide sur Régis par la fenêtre de la porte battante, compose elle-même les portions, y déposant les meilleurs morceaux de viande, les plus beaux légumes.

— Je veux pas leur parler, mais ils pourront pas se plaindre de ce que je leur sers.

Dorothée apporte les assiettes remplies à ras bord à son frère et à sa belle-sœur.

— C'est elle qui les a préparées, annonce-t-elle avec fierté.

— Est-ce qu'elle va nous parler ? demande Régis, anxieux.

— Je sais pas.

— Si elle vient pas, c'est moi qui irai.

— Ce serait mieux pas.

— C'est ridicule.

Bien qu'ils aient faim et que le bouilli soit délicieux, Régis et Jeanne mangent du bout des lèvres. Ils sursautent chaque fois que la porte bouge d'un côté ou de l'autre, s'attendant à en voir surgir Catherine à tout moment. Ils sont déçus, elle reste obstinément dans sa cuisine. Plus l'heure avance et plus Régis a envie de la maudire et de quitter l'endroit pour ne plus y revenir.

Elle, derrière ses fourneaux, tourne comme un lion en cage, prisonnière de sa propre haine. Elle a hâte que son fils parte pour ne plus avoir à se retenir d'aller le trouver, elle maugrée, elle houspille Dorothée qui n'a rien fait pour s'attirer sa grogne ; le repas se termine sans qu'elle condescende à franchir la porte.

Dans les bras de sa mère, le petit Gatien, sans doute influencé par le désarroi de ses parents, commence à sangloter. Doucement, puis de plus en plus fort. Lui qui gazouillait braille bientôt à s'en éclater les poumons. Jeanne le tapote dans le dos, le rassure, essaie de le calmer, peine perdue. Régis le prend et tente de le consoler à son tour, rien n'y fait, il gueule si fort qu'on l'entend des trois étages.

Catherine n'y tient plus. Elle, qui adore les bébés, se meurt de serrer celui-là, son premier petit-fils, dans ses bras. Entendre ces sanglots la chavire, la traverse, l'atteint tellement qu'elle en a une grosse boule dans la gorge.

D'un mouvement brusque, elle pousse la porte, s'avance vers Régis et lui ordonne :

— Un homme, ça sait pas consoler un bébé. Donne-moi-le !

Elle n'attend pas que l'enfant lui soit tendu, elle l'enlève des bras de son père avec une délicatesse inouïe et le pose contre son sein généreux, le caressant, l'enveloppant tout entier de ses belles mains chaudes et charnues. Et Gatien, doucement, se calme, arrête de pleurer.

Catherine sourit, amoureuse, entourant le petit corps.

— T'es bien, là, mon bébé ? T'es beau, mon ange, un vrai matin de printemps. As-tu faim, mon trésor ?

Elle se tourne vers la cuisine, d'où Dorothée, heureuse, l'observe :

— Fais chauffer du lait !

De sa main libre, elle tire une chaise, s'assoit et, gardant Gatien qu'elle ne cesse de bercer, de rassurer, de chouchouter, elle se met à jaser avec Régis et Jeanne comme si de rien n'était :

— Il paraît que vous déménagez dans la grand'ville ? Vous êtes-vous trouvé un logement ? Attention, c'est cher.

C'est ainsi que Gatien, pour la première fois de sa vie mais pas la dernière, réconcilie son père et sa grand-mère.

32

Philibert a vingt ans et il ne dort toujours pas, certains soirs, tournant et retournant dans sa tête son indignation, sa colère et sa révolte face au comportement de sa mère.

La question qui le préoccupe le plus est celle de son avenir, pour lequel acquérir un métier lui apparaît d'une importance primordiale. Ses parents, conséquents avec eux-mêmes, refusent de payer ses études ? Tant pis, il s'est organisé. À la fin de sa dixième année, il a conclu un marché avec le collège de Victoriaville : il fera une onzième et une douzième au pensionnat — il n'a pas le choix — contre l'engagement, sur son honneur, de payer la facture dès qu'il recevra un salaire.

Mettre Catherine et Camille au courant de cet arrangement requiert du temps et du doigté ; finalement, abordés l'un après l'autre, ils n'y voient aucun inconvénient puisqu'ils ne déboursent pas un sou dans l'affaire. Cela les obligera à employer quelqu'un pour le remplacer, mais Philibert est si déterminé qu'ils plient.

Quelque temps auparavant, il avait travaillé le soir dans une filature où on avait reconnu ses qualités de communicateur, son sens de l'organisation et son goût pour la qualité. En novembre, alors qu'il vient d'entrer au collège, La Fileuse, son ancien employeur, lui offre de devenir le nouveau gérant de production à l'usine.

Tentation diabolique ! Il n'y résiste pas. La perspective de se lancer immédiatement sur le marché du travail, d'avoir des responsabilités et un salaire le convainc : il quitte le collège, interrompant les études qu'il jugeait si importantes. Mal lui en prend, parce que la guerre qui vient de commencer provoque le ralentissement, puis la cessation des arrivages de laine en provenance de l'Angleterre. La Fileuse ferme, son jeune gérant se retrouve sur le trottoir, Gros-Jean comme devant. Adieu veau, vache, cochon, couvée ! Notre pauvre Philibert ravale ses rêves et retourne à l'hôtel, où il raconte sa mésaventure.

— Mon petit garçon, c'est pas plus rose ailleurs qu'ici, commente Catherine, satisfaite.

Il reprend en maugréant ses travaux de laveur de vaisselle et de planchers, de videur de crachoirs et de ramasseur de crottin — l'automobile gagnant du terrain sur « les machines à crottes », cette dernière activité l'occupe de moins en moins.

Inutile de souligner que les relations avec Catherine ne sont pas au beau fixe. Quand il sort, elle menace de le chasser et, à chaque menace, il ne manque pas de la prévenir :

— Tant que je serai pas majeur, je resterai. Après, fais bien attention, si tu me mets à la porte, tu vas me perdre de vue !

Il essaie de s'engager dans l'armée, on ne l'accepte pas à cause de son eczéma. Alors, lui qui aime s'exprimer, raconter et écrire, lui qui apprécie le français sans fautes — héritage de sa mère —, il achète une vieille machine à écrire et apprend à taper. Tout seul, dans sa chambre, avec un mode d'emploi. Grâce à son habileté, il se dégotte un petit travail occasionnel chez un notaire où il est payé vingt-cinq sous l'heure.

Il commence à fréquenter les demoiselles Houde, filles de bonne famille établies dans un petit appartement en face de l'hôtel, cherchant toutes les occasions de danser, de se distraire et d'avoir du plaisir. De « jeunesser », quoi. Les demoiselles Houde ont de l'humour et lui aussi, ils prennent plaisir à se raconter des histoires innocentes. En plein été, leurs rires traversent la rue et se rendent jusqu'aux oreilles de Catherine, qui en conçoit de la jalousie ; elle, qui aimerait être de toutes les fêtes, le centre d'attention de tous les ralliements, n'a pas une minute pour s'amuser, et ce n'est plus de son âge. Quel désespoir !

Chaque fois que Philibert revient de ses soirées, elle l'attend pour le traiter de « coureux de chiennes » et de « bâtard ». Un jour, il en a assez, il lui réplique :

— Si je suis un bâtard, qu'est-ce que tu es, toi ?

Insultée, elle lève la main pour le frapper, mais il la retient :

— Tu te rends pas compte que je suis un homme, que je peux te serrer les poignets et t'asseoir sur ton gros cul ?

Elle ne lèvera plus la main sur lui.

Les heures agréables sont rares à l'hôtel. Philibert aimerait partir le plus vite possible ; son problème est qu'il ne sait pas où. De son côté, Catherine attend le moment où Maria et Murielle auront fini d'étudier pour effectuer des transformations dans sa vie ; son train-train quotidien est harassant, exigeant. Dorothée, elle, ressent de la fatigue : il y a si peu de personnel à l'hôtel que tout lui retombe sur les épaules.

Un jour, Philibert s'absente ; pour rendre service à un ami, il le conduit à Plessisville. Il ne sollicite pas la permission de Catherine, il évite ainsi de se la voir refuser. Par contre, il informe son père de son départ et lui suggère le mensonge qui satisferait sa mère si elle s'enquérait de lui : Camille n'aurait qu'à dire que son fils, désormais clerc de notaire à temps partiel, a dû faire enregistrer un acte dans la ville voisine.

Pas de chance ! Nous sommes lundi et le lavage, que Philibert n'étend pas sur la corde, s'accumule dans la buanderie. Catherine s'en aperçoit. Elle questionne Camille : où est son galopin de fils ? Celui-ci, oubliant de déballer le mensonge recommandé — que, sans doute, Catherine eût accepté, un notaire est un homme important et c'est bon signe s'il fait confiance à son fils —, déclare qu'il est allé prêter main-forte à un ami.

Catherine voit rouge.

Sitôt que Phil revient, elle lui ordonne de se conduire en soldat, c'est-à-dire de faire volte-face et de marcher vers la porte. *About turn! To the door!*

— Comme ça, tu pourras rendre service à tes amis, plutôt qu'à tes parents qui t'ont mis au monde et te font vivre!

Elle ne le laisse même pas monter à sa chambre pour y récupérer ses papiers d'identité, sa décharge de l'armée et ses vêtements.

Ce qu'elle veut encore une fois, ce sont des excuses de la part de son «sans-cœur» de fils. Il ne lui procurera pas ce plaisir; si elle est orgueilleuse, il l'est tout autant. Il dort huit nuits dans un entrepôt, le temps de se dénicher un emploi de vendeur de chaussures, puis il loue une chambre à trois pas de l'hôtel.

Jour après jour, il passe et repasse devant sa maison pour se rendre à son travail et en revenir sans s'arrêter, sans qu'on l'invite à entrer. Pour un peu, il sentirait les odeurs de la salle à manger, il verrait ses sœurs, Dorothée surtout, la fourmi vaillante, aller et venir entre les chambres, les salons d'échantillons et le hall, son père placer les bouteilles dans le bar et jouer aux cartes avec les clients. Il s'ennuie. Il juge la situation déplorable et ridicule. Lui non plus ne fait pas les premiers pas pour se réconcilier avec sa mère. Après un an de ce manège, incapable d'en supporter davantage, il décide de s'éloigner pour de bon.

Il déménage chez Régis, à Montréal, où il travaille quelques mois à empaqueter des caisses de bière pour les expédier au front.

Pendant ce temps, la vie à l'hôtel va de mal en pis. Les affaires marchent rondement, ce n'est pas le problème; Catherine vend des corsets et coud de belles robes pour elle et ses filles qui achèvent leurs études. Mais elle trouve de plus en plus difficile de faire face aux difficultés qui ne cessent de se présenter. Elle remplace ses servantes tous les trois mois sans s'apercevoir que son humeur la rend intolérante: les pauvres filles s'engagent pleines d'espoir et, à la moindre incartade, sont renvoyées. Elle est fatiguée de travailler du matin au soir, sans répit, sans congé, sans vacances, au service des autres. Elle aspire à avoir des moments à elle, à rétrécir son champ d'action. L'expérience de l'hôtel est réussie, elle a élevé sa famille, elle y a connu un franc succès, non sans mal; elle veut dorénavant écrire un nouveau chapitre de l'histoire de sa vie. Et plus que tout, elle veut se séparer de Camille, qu'elle ne peut plus souffrir. Malgré tout, il y a loin de la coupe aux lèvres; au Québec, on ne divorce pas, on ne se sépare pas, on est catholique.

Camille, de son côté, a un problème insoluble. Il est incapable de quitter son bar, faute de s'être donné un semblant d'organisation: l'argent de la caisse est déposé dans un tiroir qu'on n'a qu'à tirer un peu de travers pour avoir accès aux billets, et son inventaire est si mal tenu qu'il ne peut risquer d'engager qui que ce soit pour le remplacer, de peur de se faire voler. L'idéal pour lui serait que Philibert l'aide durant quelques années. Il s'en ouvre à Catherine qui refuse, se bute; elle ne veut pas s'humilier en suppliant Phil de revenir, lui qu'elle a mis à la porte pour cause d'ingratitude!

Elle finit cependant par admettre que Camille a raison et se décide à aller avec lui à Montréal. Ce qui rend le périple deux fois plus déplaisant c'est que, pour parler à Philibert, elle devra le rencontrer chez Régis où Jeanne, elle l'aurait juré, est encore enceinte. Elle attend son troisième bébé. La vie ne cesse pas d'être détestable et difficile.

C'est ainsi que Philibert a la surprise de voir arriver ses deux parents. Catherine pleure, implore, reconnaît qu'ils ont besoin de lui, qu'ils ne peuvent se fier à personne d'autre et, ô surprise, Camille est d'accord avec elle. Philibert, au-delà de sa stupéfaction, est forcé de constater que son père est en mauvaise posture. C'est ce qui motive sa décision, d'autant plus facilement que son séjour promet d'être de courte durée: ses parents pensent vendre l'hôtel. En fait, Catherine souhaite vendre et Camille n'est pas d'accord mais, on le sait, ce que Catherine veut, Dieu le veut.

Philibert revient à l'hôtel, mû par l'intention de rendre la vie plus agréable à tout le monde en attendant l'échéance. En contrepartie, il emprunte à son père l'argent nécessaire pour acheter la moto dont il rêve depuis plusieurs années. Roulant à visage découvert sur les routes de la région, il éprouve la griserie de la liberté. Il ne l'oubliera pas de sitôt.

33

Si Catherine rage plus qu'à l'habitude, c'est que la guerre bat son plein. Elle n'a pas connu de répit dans sa vie. Durant la crise, les gens étaient rationnés faute de denrées; durant la guerre, ils le sont à cause des efforts de guerre. Être née à son époque est une calamité. Elle voudrait avoir vu le jour ailleurs, aux États-Unis, par exemple, où les gens sont plus riches! Au moment où le pays voisin se joint aux Alliés et expédie ses troupes contre Hitler, un vide se crée dans sa tête, l'espoir y meurt et elle s'attelle au travail, tête rentrée, butée, sombre.

Elle en a assez d'être inquiète, de calculer le sucre, la farine et l'essence. Avant de voyager, il faut additionner, multiplier et diviser les bons d'essence par le nombre de milles pour finir par s'apercevoir qu'on ne peut pas démarrer parce qu'on n'aura pas suffisamment de carburant pour se rendre. C'est énervant, emprisonnant. Les corsets se vendent au ralenti, les gens dépensent moins, tout est consacré au loyer et à la nourriture. Comment un corset peut-il être considéré comme superflu? Elle, qui ne manque pas de porter le sien un seul jour, ne le comprend pas. Incapable de manœuvrer son univers, elle déverse sa nervosité et ses insatisfactions sur les gens autour d'elle, notamment sur Maria.

Celle-ci vient de terminer ses études; elle a appris à tenir les livres, à gérer la comptabilité, à dactylographier, et elle pourra gagner sa vie le moment venu. En attendant, elle sert les repas à la salle à manger.

Jolie, elle a une sorte de timidité, une innocence qui séduit les hommes, lesquels se sentent tout-puissants à ses côtés. Si on la taquine, elle rit, se défendant et rougissant, ce qui la rend encore plus attirante.

Catherine apprécie les gens qui travaillent fort, et Dorothée en est, ou ceux avec qui elle a des affinités, comme Murielle. Maria ne fait partie d'aucune de ces catégories. Son apport est — c'est le jugement de sa mère — insuffisant et elle présente des traits de caractère qui ressemblent à ceux de son père, son entêtement, pour n'en nommer qu'un. Catherine, tout en la traitant à l'égal des autres pour ce qui est des aspects visibles de la vie quotidienne, éprouve à son endroit une irritation constante et, quels que soient les efforts de la fille pour être correcte, efficace et rapide, jamais elle ne parvient à satisfaire la mère.

Avec Catherine, elle a toujours tort; si elle prend une initiative et suggère quelque chose, on la rabroue. Devant les brimades, elle courbe le dos, vilain petit canard qui essaie de passer inaperçu et n'y réussit pas. Même quand elle s'amuse le soir dans la cuisine transformée en salle de danse, Catherine surveille tous ses cavaliers et leur façon de lui mettre la main à la taille. Le lendemain, elle détaille sans indulgence les traits de chacun.

— As-tu vu la longueur de ses pieds? Il porte des chaloupes, cet homme-là!

— Si je parlais du nez autant que lui, je me tairais!

— Il a les doigts croches; je voudrais pas qu'il me flatte le dos, j'aurais peur des grafignes!

Difficile d'être une fille à marier quand on a Catherine pour mère.

Alors Maria rêve obscurément et se retient pour ne pas éclater. Elle en a tellement l'habitude, ce n'est plus un exercice ardu. Poupée sans libre arbitre, elle accomplit sans talent les tâches quotidiennes, se fourrant toujours là où il ne faut pas, avec un rythme *a contrario* de celui des autres. Elle époussette mal, fait les lits de travers, balaie en coup de vent et verse le café dans la soucoupe. Comment pourrait-elle accomplir plus, obligée qu'elle est de tout refaire parce que son entourage décrète que son travail est bâclé ?

Par certains côtés, elle se sent vieille ; rien ne l'intéresse. Elle accomplit ce qu'on lui demande, ce que des volontés plus farouches que la sienne exigent d'elle. De temps en temps, elle se fâche, devient violente, échappe des gros mots, est réprimandée, se sent coupable, se jure d'être gentille à l'avenir, tout rentre dans l'ordre, et Dorothée et Catherine recommencent à lui crier après.

Difficile de vivre auprès de Catherine, quand elle a du mal à vous supporter.

Un jour où le soleil entre à flots par la fenêtre de la salle à manger, un jeune couple s'installe à table. C'est elle qui sert. Au moment où elle s'approche, elle s'étonne de la ressemblance entre la jeune femme et elle. Cheveux bruns frisés, yeux foncés, ossature fine, sourire large, dents égales, elles ont tout en commun. Quand elle aperçoit le jeune homme, sans doute son époux — oui, il porte une alliance —, elle a un choc. Il est si beau, sain, confiant.

Elle est devant son couple idéal. Elle voudrait être à la place de cette femme, en face de cet homme. Elle inscrit la commande et la transmet à la cuisine, mais son esprit reste dans la salle à manger, auprès de lui. C'est ce compagnon qu'elle attend. Pourquoi n'est-il pas avec elle ? Pourquoi ne l'a-t-elle pas rencontré avant aujourd'hui ? D'où vient-il ? Que fait-il dans la vie ? Il a sûrement un bel emploi, pour se payer ce costume de bonne qualité et offrir à sa femme une robe en crêpe.

Elle revient avec les soupes, plus confiante. Elle regarde le mari avec un sentiment de possession étrange. C'est la première fois de sa vie qu'elle éprouve une vive attirance pour quelqu'un. Quelque chose en elle se réveille. Le désir d'une vie à elle, loin des regards de Catherine et de Dorothée devant lesquelles elle se sent nue, sans protection.

Une vie à elle, ce n'est pas trop exiger. Elle y a droit, comme la plupart des gens. Après tout, le soleil brille quelquefois.

Elle apporte le poulet à l'estragon, presque familière.

— Il est délicieux, ce midi, annonce-t-elle, soignant son langage.

Ils la remercient d'un sourire. Elle s'éloigne, se faisant la réflexion que, s'ils sont venus manger ici, c'est justement parce que la cuisine de sa mère est reconnue. Elle a dit une stupidité. Zut ! Elle a échoué à faire bonne impression. C'était une petite erreur. Il lui pardonnera.

Plus les minutes s'écoulent, plus elle se fond avec la jeune femme assise en face de cet homme qui lui est destiné. Un bien-être s'installe en elle, un espoir jusque-là inconnu. Être aimée. Par quelqu'un qu'on aime en retour. Avoir été choisie parmi d'autres. Être certaine de sa valeur, de sa beauté, recevoir une approbation, une seule, suprême. C'est naturel, non ?

Elle les observe qui échangent. Ou plutôt, la jeune femme parle et il opine du chef, et il rit. Maria sait qu'elle pourrait être intéressante si elle réussissait à exprimer ses sentiments profonds ; ici, personne n'est intéressé à les entendre. Plus le temps passe, moins elle se sent capable de rassembler les idées qui bouillonnent dans sa tête. Pourtant, sous l'effet de la colère, il lui arrive de voir des mots férocement précis, d'avoir des pensées puissantes et dévastatrices.

Vivre avec quelqu'un qui l'apprécie.

Cet homme-là saurait. Elle s'imagine assise avec lui, c'est elle qui porte cette robe bourgogne, ce petit chapeau de feutre avec une voilette tout juste assez longue pour couvrir la naissance du front. Sa toilette lui sied à ravir, lui donne si jolie allure.

Plus le dîner avance, mieux elle se sent. Elle a un avenir, il est là, sous ses yeux. Elle n'a qu'à y mettre le pied, à y entrer. Elle est heureuse. Elle a oublié son tablier, elle n'entend plus Catherine qui la houspille dans la cuisine, elle éprouve une joie mauvaise à ruminer le bon tour qu'elle lui jouera de la quitter sitôt le dîner achevé, de sortir de l'hôtel au bras de cet homme qui l'a épousée sans que sa mère y puisse rien. Terminée, la puissance de Catherine, il suffit de voler trois pouces au-dessus du sol, elle ne peut plus vous attraper, surtout pas avec ses bras, dont un ne s'étend pas loin parce qu'il est croche. Qu'elle gueule tant qu'elle voudra, sa voix s'estompera, assourdie par la bénéfique distance que crée le bonheur.

Maria est heureuse, ses yeux se mouillent, elle verse une larme qu'elle doit essuyer avec le coin de son tablier blanc.

— C'est malpropre, change de tablier ! lui commande Dorothée.

Sans obéir, elle sort de la cuisine, desserts en main. Tarte aux raisins, ce midi. Elle les apporte à l'homme et à la femme devant lui, moins jolie qu'elle-même, incongrue et étrangère dans l'histoire d'amour qu'elle vient de se raconter.

— Je vous sers un café ?

Il acquiesce. Elle n'a pas regardé la femme, elle ne parle plus qu'à ce jeune homme, à qui elle décoche son plus timide sourire. C'est sa façon d'être provocante.

Elle s'éloigne, joyeuse, légère, et va quérir les tasses, s'efforçant de ne pas oublier les autres clients. Il faut malgré tout qu'elle soit active, organisée et admirable. Qu'elle lui fasse honneur.

Il réclame l'addition, elle prend son temps, refusant qu'il la quitte. Elle le veut assis à cette table sa vie entière.

À son dernier passage, elle a du mal à s'éloigner. Elle s'attarde, s'enhardit jusqu'à entreprendre une conversation.

— Êtes-vous ici pour longtemps ? Qu'est-ce que vous faites dans la vie ?

Il lui jette un regard ennuyé, étonné qu'elle lui ait posé des questions personnelles. Elle est allée trop loin. Elle recule sous l'effet de cette presque gifle et retourne à la cuisine, où elle s'immobilise près de la porte pour observer leur départ.

— Maria, réveille! jette Catherine qui veut passer.

Elle bondit. Elle explose.

— Je dors pas debout, tu sauras. À part ça, je veux m'en aller! Je veux partir d'ici!

Catherine lui lance un regard, nullement impressionnée.

— Prends la porte d'en avant, ma petite fille, ça va te mener dehors. Reviens plus jamais, par exemple!

Et elle quitte la cuisine.

Maria fixe le vide, hébétée. En une fraction de seconde, la terreur la gagne. Si sa mère la chassait, où irait-elle, que ferait-elle?

— Apporte-moi la vaisselle, vite, il faut que je la lave, lui ordonne Dorothée sans chaleur.

Elle sort de sa stupeur, ravale la boule dans sa gorge et se rend à la salle à manger desservir les tables.

Le soleil a disparu.

34

Murielle est la plus belle des trois filles de Catherine. Elle a beaucoup d'éclat avec son teint pâle, ses lèvres vermeilles, ses yeux noirs, ses sourcils hauts et ronds. Elle a un caractère ouvert, curieux, confiant. Contrairement à ses frères et sœurs, elle n'a pas peur de Catherine, qui l'a choyée et dorlotée sans réserve durant son enfance.

Elle fait partie de ces personnes qui ont un caractère heureux, une intelligence adaptée à leur environnement. Là où Maria ne dispose d'aucun ressort pour affronter la rigueur et la puissance de sa mère, Murielle, elle, a découvert la façon de se mettre à l'abri : elle joue du piano. C'est son bonheur, son mode d'expression, son refuge. Et une fierté pour Catherine qui apprécie que sa benjamine ait du talent. Ce qui n'empêche pas qu'elle la surveille autant et même davantage que les autres, elle est si jolie et si agréable.

Un jour, un pilote d'avion loue une chambre aux Bois-Francs. Il s'appelle Jules, il est séduisant, grand et élégant.

— Beau cochon, remarque Catherine en guise d'appréciation, avec tant d'appétit qu'elle en devient drôle.

Il est dans la vingtaine avancée et « connaît la vie », comme on dit. Il tombe amoureux de Murielle qui a dix-neuf ans et dont le sourire illuminerait un puits de mine fermé depuis vingt ans.

Il la courtise si assidûment qu'on ne voit plus que lui à l'hôtel. Il y est partout, tout le temps ; il mange avec la famille, lave la vaisselle, danse les samedis soir. Sa présence est agréable ; il est drôle, taquin, charmeur, prévenant, galant. Par sa constance et son habileté, il acquiert la permission de sortir Murielle où il veut, quand il veut ; il l'invite au cinéma, l'emmène danser, fait des randonnées avec elle dans sa voiture. Il est tout attention, charme et prévenance.

Murielle aime beaucoup Jules, sans en être impressionnée outre mesure. Si elle reçoit ses hommages avec plaisir, elle ne s'attache pas, s'estimant trop jeune pour s'engager. Elle sent que Jules la désire, c'est nouveau pour elle, elle lui résiste sans mal parce qu'elle n'a pas l'intention de faire l'amour avant de se marier. Ce n'est pas à cause de l'interdit religieux — là-dessus, elle a une liberté d'esprit qui bouleverse sa mère —, c'est à cause de la faiblesse de son propre désir. Elle n'a pas une sensualité envahissante ni des besoins sexuels d'une puissance qui emporterait sa retenue.

Catherine, elle, par contre, est émue au plus profond de son cœur romanesque. Le « beau cochon » de Jules est l'homme dont elle a rêvé toute sa vie. Il correspond à l'image de ces aventuriers fous qui s'éprennent d'amour passionné pour une femme et qui l'emmènent sur une île déserte, dans un palais de marbre, loin de la civilisation, pour vivre avec elle tant d'épisodes d'amour charnel et d'années heureuses qu'on en oublie le nombre. Ayant conçu pour lui une attirance qui ressemble à celle des héroïnes de ses romans, elle est incapable de concevoir que sa benjamine réagisse différemment, veut l'empêcher d'être entraînée sur cette île aussi enchanteresse que damnée et cherche sans répit le moyen d'y parvenir.

La tâche est difficile. Elle se couvrirait de ridicule et se mettrait à dos sa fille préférée si elle lui interdisait de sortir avec Jules ; d'ailleurs, il n'est pas exclu que Murielle la défie, elle est indépendante et sait que Catherine lui pardonnerait tout. Qui plus est, le beau Jules n'est pas le genre d'homme qui s'en laisse conter ; il saura se défendre contre les attaques qu'elle pourrait mener à son encontre. Ce qui la retourne sens dessus dessous, la fait bondir dans son sommeil, c'est qu'elle est certaine que Jules coucherait avec

Murielle tout de suite, sans égard pour le sacrement qui permet à un homme et une femme de s'adonner à ce que l'on sait sans pécher.

Coincée entre son désir pour Jules et sa peur pour Murielle, Catherine réagit par tous les moyens possibles, des plus nobles aux plus infects. Chaque fois que Jules s'annonce, elle harangue sa fille :

— C'est un coureur de jupons, tu seras malheureuse jusqu'à la fin de tes jours !

— Ces hommes-là te trouvent à leur goût jusqu'à ce qu'ils t'aient déshonorée, ensuite ils te quittent en te laissant sur le pavé !

Murielle résiste patiemment :

— Maman, voyons, je suis assez grande pour savoir me conduire.

Inutile d'essayer de raisonner Catherine, elle n'entend rien ni personne, pas plus aujourd'hui qu'hier.

Un jour que Murielle attend son Jules, Catherine s'emporte tant qu'elle perd ce qu'il lui reste de sens commun et commence une crise d'hystérie. Dans une tentative désespérée pour la calmer, Philibert lui lance un bassin d'eau froide au visage.

Étonnée, elle cesse de crier comme Jules arrive. Elle a à peine le temps de sortir de la cuisine qu'il est là, souriant, affable, charmant.

— Salut, la compagnie ! Murielle, il y a un bon film à Sherbrooke, viens !

Et Murielle part dans la luxueuse voiture de son Jules, avec Maria qui chaperonne, tandis que Catherine se change en maugréant.

Les choses auraient pu s'envenimer et Catherine se rendre vraiment malade — elle en est capable —, n'eut été de Murielle, qui cesse sans préavis de s'intéresser à son Jules et retourne à son pensionnat terminer son dernier trimestre.

Ô surprise ! Le lendemain, l'ineffable Jules, encore client de l'hôtel, tombe malade et doit s'aliter. L'histoire ne précise pas si c'est le chagrin, la vexation ou une allergie à l'indifférence de Murielle qui l'affecte à ce point.

Il souffre d'urticaire géante. On n'a pas idée ! Pour que sa convalescence soit plus supportable et pour pouvoir le surveiller de près, sans doute — il pourrait débaucher une employée —, Catherine lui propose de déménager dans sa chambre.

Dans sa chambre à elle ! Dans son lit, dans ses draps blancs frais et propres, avec des oreillers bordés de dentelle, aux initiales brodées de sa main, à côté de sa commode, près de sa garde-robe, dans ses odeurs, ses parfums, son atmosphère. Jules, un tantinet gaga, peut-être abasourdi d'avoir été plaqué comme une crêpe, conscient probablement de l'effet qu'il crée sur Catherine, accepte. Transporte son pyjama, ses pantoufles, sa brosse à dents et son sac de voyage dans la grande chambre de la duchesse, sous les combles, où elle dort seule depuis le départ de Marguerite.

Elle s'installe dans une autre chambre, nul besoin de le souligner. N'importe ! Elle a dû en faire, des rêves à propos de Jules, étendu là, dans son lit, si beau en dépit des taches rose et rouge répandues sur son visage et son corps. Il est dans ses draps, il est un peu dans ses bras, non ? Il dort sur son oreiller, il ferme les yeux en pensant à elle, non ?

Pour une femme qui a autant peur du qu'en-dira-t-on, elle oublie quelquefois de réfléchir. Ou se pense au-dessus de tout soupçon. En tout cas, elle s'avère incapable d'évaluer la signification de ses gestes. Si ce n'était pas elle qui avait eu ce comportement, elle aurait su l'interpréter, et méchamment. Peut-être a-t-elle tant de mal à protéger sa vertu qu'elle considère que, aux yeux de tous, cette vertu est inaltérable — Mme Pelletier est une dame respectable et exemplaire qui ne commet jamais le péché de la chair !

Et elle soigne le beau Jules, lui applique des compresses, veille sur son sommeil, le nourrit à la cuiller, presque, heureuse de se dévouer, de le contempler, de profiter de la vision de cet Adonis heure après heure, jour après jour.

Après une semaine de ce pur ravissement, elle se rend compte que Dorothée et Maria la regardent d'un drôle d'air et que les domestiques rient sous cape. Dieu du ciel! À quoi a-t-elle pensé? L'île qu'elle a créée dans sa chambre n'est pas déserte. Les cancaneuses s'en occupent, en font des gorges chaudes. Sa réputation risque d'être compromise par son geste charitable.

La mort dans l'âme, elle indique à Jules le chemin le plus rapide pour se rendre à une autre des chambres de l'hôtel, qu'il ne garde pas plus de deux jours.

Je ne sais pas si on le revit. Mais, à ma connaissance, c'est la dernière fois qu'il y eut un homme dans le lit de Catherine.

35

Hiver 1944. Catherine en a assez de l'hôtel. Ça suffit, merci, c'est trop, arrêtez tout! Ses enfants sont adultes, Auguste et Régis ont disparu, et Philibert est insaisissable, allant et venant au gré de ses emplois. Mû par un incommensurable besoin de liberté, il est incapable de s'installer à un endroit. Il se trouve un travail, qu'il quitte, se réfugie aux Bois-Francs où il se plaint de n'être pas payé, et recommence le manège deux mois plus tard.

Ses sœurs, elles, ont perdu tout intérêt pour leur gagne-pain. Dorothée est épuisée; elle travaille sept jours sur sept depuis l'âge de treize ans, elle en a maintenant vingt-sept, elle vieillit avant son temps, s'impatiente, se racornit. Elle est, à proprement parler, la servante de Catherine — à qui elle est incapable de refuser quoi que ce soit —, la servante de tout le monde. Maria, elle, a servi les trois repas dans la salle à manger toute l'année dernière, qui lui a semblé une éternité; elle s'étiole. Elle a complété un cours de secrétariat — les garçons sont jaloux, les filles ont étudié plus qu'eux — et elle préférerait, de beaucoup, travailler dans un bureau. Pour ce qui est de Murielle, qui a fini d'étudier à son tour, elle ne veut pas devenir une bête de somme. Elle cherche un emploi de vendeuse pour se libérer de la famille, recevoir un salaire et vivre selon des horaires normaux. L'hôtel n'amuse plus personne, sauf Camille, et ses murs retentissent de doléances répétées.

Pour ce qui est de Catherine, à présent que sa famille est élevée, elle aspire à changer de vie, et surtout à se séparer de

Camille. Pour cela, il faut d'abord le persuader de vendre son hôtel, la prunelle de ses yeux.

Elle s'y applique avec d'autant plus de détermination qu'il lui résiste.

— On rencontre des gens ici, on gagne de l'argent, on vit bien !

— On pourrait vivre mieux ailleurs ! rétorque Catherine.

— T'es pas contente ? Ça marche, ta salle à dîner !

— Je suis écœurée de cuisiner pour quarante personnes !

Il lève les bras en signe d'impuissance et assène son argument massue :

— Je sais rien faire d'autre !

Catherine n'est pas impressionnée :

— Toi, t'es pas fatigué, c'est sûr, tu joues aux cartes à longueur de journée !

Il baisse la tête, incrédule. Elle est épuisée, elle ? Elle court à droite et à gauche en voiture, à Sherbrooke pour assister à des concerts, à Plessisville pour prendre les mensurations des clients, à Québec pour rencontrer les représentants de la compagnie Spencer, elle reçoit les voyageurs de commerce avec son sourire engageant, leur posant des questions sur l'état du monde et les restrictions dans la province, discutant des horreurs de la guerre. Qu'est-ce que ce serait si elle ne manquait pas d'énergie ?

Il se terre dans son fief, se mure dans son silence, derrière les tables ou le comptoir du bar, tirant sur sa pipe et savourant le peu de liberté qu'elle lui laisse.

Les filles, sachant que c'est leur père qu'il faut convaincre du bien-fondé de l'idée de vendre, franchissent la limite interdite et vont le retrouver, chacune à son tour. Dorothée la première. Elle, qui est fière de ne jamais se plaindre — il y a assez d'une geignarde dans la maison —, a ramassé toutes ses doléances dans un paquet qu'elle déballe rapidement :

— Papa, je passe ma vie à faire, défaire et refaire des lits, à épousseter des commodes et des tablettes, à laver la vaisselle, à nettoyer des lavabos et des toilettes où les gens ont pissé, ont chié ! Me semble que j'en aurais assez de notre saleté sans avoir celle des clients ! Le soir, je me couche, j'ai mal aux reins et aux pieds ; le matin, je me lève, j'ai mal aux reins et aux pieds. J'en peux plus.

Elle repart, il est ébaubi. Il n'a jamais entendu son aînée s'apitoyer autant.

Deux jours plus tard, Maria rapplique et en rajoute :

— As-tu déjà passé des heures debout, en faisant trois cents aller-retour entre la cuisine et les tables, en souriant à des gens qui ont mauvaise haleine et qui essaient de te pincer les fesses ? Je peux pas aller au cinéma, j'ai pas d'amies, j'ai perdu l'appétit ; je vivrai pas longtemps à ce rythme-là.

Ce qui fait réfléchir Camille, Maria étant réputée pour avoir une santé fragile.

Murielle, la préférée, porte le coup final :

— Si t'es heureux aux Bois-Francs, papa, t'es le seul. Nous, on ne veut pas moisir ici. Ailleurs, on aura la chance d'avoir une vie plus calme, et maman sera peut-être de meilleure humeur.

Camille, qui a le cœur tendre, qui aime encore sa femme — sa patience en est la preuve —, est incapable de résister à cette perspective de bonheur, si mince soit-elle, et met l'hôtel en vente.

Après quelques semaines, un acheteur se présente. La tribu tressaille d'espoir, a des ailes. Camille négocie, un prix est fixé, le futur acquéreur verse un acompte de deux mille dollars et réclame un inventaire du contenu de l'établissement.

Les filles ouvrent toutes les chambres, armoires, placards, remises et garde-manger pour calculer ce que le bâtiment recèle de lits, de matelas, de commodes, de tables, de lampes sur table ou sur pied, de fauteuils, de casseroles, d'ustensiles, de serviettes, de draps, de couvertures de laine, de linges à main, de centres de table en dentelle et de débarbouillettes. Sans oublier les caisses enregistreuses, les verres, les tasses à mesurer, les cabarets et les nappes. Ajoutons les cordes de bois, les poêles, les rideaux et tentures, le comptoir de la réception, la collection d'oiseaux de plâtre — non, ça, Catherine l'apportera dans sa nouvelle maison —, les tapis, les lustres — qu'elle a fini par changer tous —, la vaisselle de la salle à manger — pas le service Wedgwood ! Et les bibliothèques, les étagères, les tables hautes, les basses, celles du bar, les chaises, les cendriers, tous les cadres qui constituent la décoration, et c'est tout. Oui, c'est tout.

Il faut deux semaines, à travers le train-train quotidien, pour tout calculer. Durant les dix-sept années où Catherine et sa famille ont habité cet endroit, ils l'ont encombré du nécessaire et du superflu. Ils sont surpris de constater la quantité de leurs possessions.

Les filles répondent aux questions des clients qui ont entendu parler de la vente et de leur départ.

— On ne vous verra plus ?

— Qui achète ?

— Est-ce que la salle à dîner restera ouverte ?

— Vous déménagez où ? Achetez-vous un autre hôtel ? Pourquoi vendez-vous ?

— On vous aimait. Ce ne sera pas pareil avec un nouveau propriétaire !

— Qu'est-ce que vous comptez faire, après ?

Une fois l'inventaire prêt, mis au propre et signé, Camille le fournit à son acheteur, qui, entre-temps, a changé d'idée. Pourquoi ? Par caprice, par manque de fonds ? Nul ne le sait. Camille n'hésite pas une seconde, il déchire le beau chèque de deux mille dollars de dépôt qu'il avait caché au fond de son tiroir-caisse. Ses filles lui en veulent encore de cette honnêteté, qu'elles jugent stupide.

Après cet espoir avorté, la vie se traîne, s'étale et s'allonge. Un hôtel, ça ne se vend pas comme une voiture. L'hiver s'étend, interminable. Les filles ont l'impression de sécher sur place, Catherine, que les murs de sa prison sont à jamais refermés sur elle et que son geôlier lui a mis les fers.

Les clients ont oublié leurs hommages et recommencent à les confondre avec le paysage.

— Vous serez incapables de nous quitter.

— Vous nous aimez trop !

— Vous mourrez ici et on vous élèvera un monument.

— C'est votre salle à dîner qui attire les touristes dans notre ville, si vous pensez qu'on va vous laisser partir !

En mars, au moment du dégel, un deuxième acheteur se présente. Celui-là sera le bon.

Deux mois plus tard, Camille cède, pour vingt-deux mille dollars, l'hôtel des Bois-Francs qu'il avait payé six mille dollars dix-huit ans plus tôt. Cette somme s'ajoute au petit pécule provenant du bar — nul ne sait de quel montant, il ne le révèle à personne, ce qui a pour résultat que tout le monde a l'impression qu'il est fort riche.

Ouf ! On respire en chœur. De soulagement, de satisfaction.

Pas longtemps. Il y a d'autres problèmes urgents à régler.

Où la famille se réfugiera-t-elle ? Les discussions, interrompues le temps d'une morne saison, reprennent de plus belle. Catherine rêve de la côte ouest. Eh oui ! Elle ne baragouine pas trois mots d'anglais, mais elle a ouï dire que la douceur du climat marin de là-bas pourrait faire merveille pour soigner ses rhumatismes. Si elle déménage à Vancouver, ses filles la suivront, c'est certain. Camille juge cette idée insensée, il se prépare à l'exprimer, conscient du barrage qu'il rencontrera. Il ne sera pas obligé de consentir à cet effort, c'est la dure réalité qui ramène les femelles du troupeau à la raison.

On est encore en guerre et l'essence est rationnée. Avec les coupons, une voiture ne se rendrait pas jusqu'à la frontière de l'Ontario ! Inutile, dans ces conditions, de vouloir voguer vers le Pacifique ! En désespoir de cause, Catherine et ses filles se rabattent sur le Québec. Après maints et maints débats houleux, leur choix se pose sur la ville de Sherbrooke, la reine des Cantons de l'Est, aux confins de deux rivières, la Saint-François et la Magog, et qui a l'avantage d'être située à une distance raisonnable de Victoriaville.

Catherine et Camille s'y rendent séparément pour visiter des maisons; pourquoi avoir une vie simple quand on peut la compliquer? Ce qui plaît à Catherine déplaît à Camille, bien sûr, et vice versa. Je ne sais lequel des deux accomplit l'exploit, mais une maison est repérée dans la rue Québec. Pour faire changement, les négociations entre les époux ne seront ni longues ni orageuses, parce que la demeure est immense et superbe, qu'elle compte dix-huit pièces avec un foyer dans chacune, qu'elle a des tentures de velours aux fenêtres et que, facteur essentiel et incontournable, à cause de la guerre, il n'y en a pas d'autre convenable sur le marché.

On prévoyait quelques jours pour déménager dans ce château, il en faut quinze. Philibert avait obtenu un congé d'une semaine pour aider, il s'attarde jusqu'à la fin de l'opération, ce qui a pour résultat qu'il est congédié à son retour au travail. Et il se ramène dans la rue Québec qu'il vient de quitter.

Une nouvelle vie commence.

Dans ce palais des Mille et Une Nuits, il y a Camille qui porte des bretelles, fume sa pipe et se berce sur la galerie toute la journée.

— Vous m'avez obligé à vendre mon hôtel, déclare-t-il, je travaillerai plus!

Et il tient parole. Sacré Camille! Pas de quoi le faire rentrer en grâce auprès de Catherine qui se plaint sans cesse de trop besogner.

Il y a Dorothée qui, pour la première fois de sa vie, a le loisir de courir avec un gros chien à poils longs et frisés qu'elle a appelé Noiraud; selon son habitude, elle sert Catherine et la maisonnée, d'un cœur plus léger cependant, la tâche étant moins astreignante que celle qu'elle abattait à Victoriaville.

Il y a Maria qui se repose, qui se cherche un emploi sans enthousiasme parce qu'elle a l'impression que son père est riche et qu'il peut entretenir sa famille indéfiniment.

Il y a Murielle qui se fait des cavaliers et ne les garde pas.

Il y a Phil qui se cherche un emploi, qui se cherche un emploi, qui se cherche un emploi et qui occupe ses fins de semaine à courir les routes sur sa moto.

Et il y a finalement Catherine qui, à présent que le sort de l'hôtel est réglé, peut sauter à l'étape suivante, difficile celle-là aussi, se débarrasser de Camille.

Pendant ce temps-là, à Saint-Norbert, Lucienne donne naissance à un premier enfant, une petite fille dont Auguste est le fier papa. Ils l'appellent France. Elle est blonde, ronde, frisée, jolie comme un cœur. C'est ma sœur aînée.

36

Philibert dépasse ses frères de cent coudées pour ce qui est du charme; il est le seul à posséder ce qu'on appelle en ce temps-là, avec admiration et envie, « le don de la parole ». En plus, il est prévenant, drôle, intelligent, pétillant et truculent raconteur d'histoires, toutes qualités qui lui attirent des attentions féminines nombreuses auxquelles il est sensible.

A-t-il des maîtresses? On sait seulement qu'il est idéaliste et soucieux d'être vertueux. C'est ce qu'il prétend, en tout cas. Influencé par sa mère, sa religion et son époque, il rêve de pureté, d'amour, de don de soi, il veut amasser des indulgences qui lui assureront — telle est la promesse de la religion — un avenir réussi. Cela n'empêche pas que la chair l'excite, qu'il l'admet sans mal et qu'il éprouve de l'agrément à contempler les fesses et les seins qui tournent autour de lui. Par conséquent, s'il a des aventures, des contacts charnels osés ou s'il va faire l'amour avec des putains, il se sent coupable et s'en confesse. Son plaisir est accompagné d'un malaise qui le décuple et contre lequel il se défend mal, il est le jouet d'une potion magique grâce à laquelle la jouissance est associée à la souffrance. En cela, il n'est sans doute pas différent de la majorité de ses contemporains.

On comprend que Catherine, qui perçoit mal l'alchimie en lui, ait très peur pour sa vertu, d'autant plus qu'elle découvre des traces de rouge à lèvres sur ses cols de chemise quand il revient de ses sorties. Elle y reçoit, chemise après chemise, la confirmation qu'il se débauche avec des femmes de mauvaise vie ; elle en rage, elle en frémit, elle tempête et consacre une bonne partie de ses énergies imbattables à éviter que le pire survienne.

Et puis, que diable, son benjamin a vingt-cinq ans, c'est vieux pour un jeune homme ; il s'est assez ébaudi. Vivre sa jeunesse, c'est un peu correct ; s'y éterniser, c'est suspect. Quand finira-t-il par se marier ? Et avec qui ? Elle craint que débarque chez elle une femme qui lui aurait mis le grappin dessus à cause de son incapacité à refréner ses bas instincts ou qui, comble de la honte pour une famille respectable, serait enceinte. On ne saurait trop se méfier de l'appétit de jouissance des hommes, de leur goût pour le sexe, la luxure et autres réalités cochonnes, corollaires du besoin de reproduction.

Sur ces entrefaites, en raison d'une crise de foie, elle part en ambulance se faire enlever quelques pierres à la vésicule. Catastrophe ! De l'hôpital où elle repose, elle ne pourra plus surveiller son fils revenu au bercail depuis quelques mois, et maintenant employé d'une excellente bijouterie de Sherbrooke.

La vie n'est pas toujours niaise, encore faut-il saisir au bond les chances qu'elle vous lance d'une main molle. Se remettant de sa chirurgie, Catherine est soignée par une infirmière tout à fait de son goût, jolie, professionnelle et vertueuse, qui respire la fidélité, l'intelligence, l'aisance et qui a du caractère. Elle s'appelle Marie-Louise Caron. Tout de suite, Catherine la charme, se l'attache et s'en fait une amie.

Une chance n'attendant pas l'autre — c'est inhabituel pour Catherine qui se sent poursuivie par la guigne —, Marie-Louise demeure à Sherbrooke, à deux pâtés de maisons de la rue Québec. Il y a à peine cinq minutes de marche entre la résidence de l'infirmière et celle de la malade. Incontournable signe du destin pour qui est capable de l'apprécier à sa juste valeur, et la duchesse est de ceux-là.

À sa sortie de l'hôpital, elle a besoin de soins, et c'est Marie-Louise qu'elle engage pour les lui procurer. Si grand est son désir de la revoir, si ferme est son intention de lui préparer un avenir que, même si elle avait été complètement rétablie, elle se serait découvert des malaises qui auraient rendu nécessaire la présence de l'infirmière à la jolie voix. Ce qu'elle a en tête, on s'en doute, c'est plus que son propre rétablissement. Elle tisse, brin après brin, nœud après nœud, un filet dans lequel elle veut attraper son fils. Un filet aux mailles serrées, solides, collantes.

Marie-Louise, fille unique d'un homme qui a travaillé pour le Canadien National toute sa vie, est, au surplus, bien nantie, ce qui, pour Catherine, est une qualité non négligeable. Elle constitue le parti parfait pour Philibert qu'elle veut caser avant qu'il soit trop tard.

Avec force précautions et préparation, elle présente les deux jeunes gens l'un à l'autre. N'ayant pas fait son deuil d'Yvonne, son premier amour, Philibert apprécie les infirmières. En plus, s'il se montre indépendant en fonçant sur les routes aux commandes de sa moto en signe de liberté, cela n'empêche pas qu'il soit influencé par sa mère.

Il entreprend de fréquenter Marie-Louise, sans enthousiasme, à la vérité ; elle a une mère qu'il déteste dès le premier jour, qui assiste à toutes leurs rencontres et qui leur refuse le droit de se toucher, ne serait-ce que du bout des doigts. Vers neuf heures trente, elle fabrique une potion à base de chocolat vitaminé — Ovaltine — qu'elle leur sert et qui sonne la fin des réjouissances ; elle protège sa Marie-Louise, qui doit travailler tôt le lendemain matin !

Philibert regrette de ne pas avoir l'occasion de vérifier l'intensité de l'attrait physique qu'il éprouve pour sa dulcinée. Elle, de son côté, ne pense à rien de cela, perdue dans le noir regard de son beau Brummell. Elle a été amoureuse au premier coup d'œil. Comment pourrait-il en être autrement ? Il parle d'abondance, il a un physique agréable, il est intéressant, il a des idées sur tout, il vient d'une bonne famille et il est intelligent ! En plus, il la respecte ! Mettons-nous à sa place !

Philibert, tout de même inquiet, s'ouvre de son problème de conscience à un prêtre. Mal lui en prend. Le curé, fort des enseignements de son Église, lui jure sur la Bible que l'admiration réciproque des époux remplace les expériences physiques. Leur réserve, ajoute-t-il, combinée à l'observance des principes religieux, est la recette d'un bonheur durable : les époux, plutôt que d'être tournés vers la satisfaction de leurs sens, orientent leur énergie vers leur sanctification mutuelle.

Philibert l'a cru, il n'avait pas le choix.

Les jeunes gens, pleins de bonne volonté et d'idéaux, prévoient se fréquenter un peu plus d'un an, le temps d'économiser pour s'acheter des meubles et, pour Phil, de payer ses dettes.

Les circonstances se jouent de leur plan. Dans la rue Québec, la séparation de Camille et Catherine est imminente, et Philibert tient à ce que son père soit présent à son mariage, malgré l'opposition de sa mère.

Il précipite les choses et décide de se marier en juillet. Il rejoint Marie-Louise à l'hôpital un jour où elle travaille et, fier de lui, enfile à son doigt une bague à diamant « donnée » par son employeur en échange de ses heures supplémentaires. Il avait réussi à mettre quelques dollars de côté pour le voyage de noces, il les perd dans l'énervement des préparatifs du mariage et des services à rendre à la bijouterie pour que la production ne souffre pas de son absence.

À l'église, vêtue d'une petite robe blanche courte, l'épousée pleure sans discontinuer durant toute la cérémonie, pendant que Catherine, mécontente, frappe la croix de son chapelet contre son prie-Dieu. Ce son agaçant, cette intrusion dans sa vie, sa crainte, tout est, pour la mariée, un signal d'alerte qu'elle est incapable d'interpréter clairement, mais qu'elle reçoit avec une intensité certaine.

Le patron de Philibert lui prête sa voiture et de l'argent, et les jeunes mariés partent en voyage au Vermont, chez tante Alice, la sœur de Catherine qui, plus vertueuse que nécessaire, les oblige à dormir dans des chambres séparées. Catherine en sera fort étonnée, elle qui pense qu'Alice est une femme de mauvaise vie seulement parce qu'elle habite les États-Unis!

Philibert est si idéaliste, si désireux d'établir solidement les bases de son union qu'il attend trois jours avant de consommer le mariage. Marie-Louise ne s'en inquiète pas, son amour est tout émoi. Peu importe, à cette époque, les filles recevaient deux conseils de la part de leur mère : « ne dis jamais non » et « laisse-toi faire ». Marie-Louise, pleine de sentiment filial, entame sa vie commune en appliquant ces préceptes à la lettre.

Quand les époux rentrent à Sherbrooke, ils sont sans le sou, sans meubles, sans lit. Ils vivent les premiers mois de leur vie commune chez les parents de la mariée. Si on tient compte du fait que Philibert déteste sa belle-mère, on pourrait affirmer sans se tromper que sa vie maritale débute sous de sombres auspices.

L'influence de Catherine ne s'est pas arrêtée parce que son fils demeure ailleurs. Que non !

Philibert veut que le premier meuble qu'ils acquièrent soit une machine à coudre. Va pour la machine, accepte Marie-Louise, c'est utile. Elle l'achète à tempérament et commence à en payer les termes. Catherine admire le meuble et se pâme d'envie d'en posséder un semblable. Comme elle manque d'argent pour s'en procurer un — c'est du moins ce dont elle se plaint —, il lui vient une idée : sans mal, elle persuade Philibert qu'étant donné que sa femme coud peu, la machine neuve serait beaucoup plus utile en ses propres mains. Mais l'intéressée — quelle égoïste ! — refuse de l'échanger contre la vieille-pas-trop-usée-et-en-si-bonne-condition de Catherine ! Elle résiste, fait face à l'attaque et garde sa machine. Cela lui vaut de descendre d'un cran dans l'estime de Catherine... et de son mari.

C'est ce soir-là qu'il lui avoue qu'il l'a épousée non pas parce qu'il l'aimait, mais parce qu'elle allait lui « faire une

bonne épouse ». Elle, qui se meurt d'amour pour lui, dé-
faille. Pas longtemps. Elle réagit avec vigueur et se jure, au
fond de son cœur, qu'un jour il l'aimera ! Dans sa famille, il
avait quatre femmes à son service ? Qu'à cela ne tienne ; elle
prend sur elle de les remplacer toutes, de le rendre heureux,
comblé, satisfait. Elle veille à repasser ses chemises et ses
pantalons, à lui cuisiner des repas délicieux, à conserver un
certain décorum à table et partout dans la maison. Elle ne
manque pas de bravoure.

Philibert et elle emménagent finalement dans leur appartement au milieu de l'automne, un petit trois-pièces en plein
centre-ville de Sherbrooke. Ils achètent, pour leur chambre,
des lits jumeaux. C'est ce que Catherine a conseillé à son
fils. Ils y dormiront, séparés, toutes les années de leur vie
commune.

37

J'arrive bientôt dans l'histoire.

Ça me rend mal à l'aise, j'hésite ; c'est ma vie et je ne suis pas certaine de vouloir en parler, c'est trop proche, ça me trouble.

Quand Catherine et ses enfants étaient en bande, c'était facile, je les voyais collés en grappe à ses flancs généreux. À présent qu'ils sont éparpillés, j'ai du mal à les rassembler.

Mais avant de terminer l'histoire, je veux les situer tous, tous ses descendants directs, et brosser le portrait de leur situation, parce que vous n'entendrez plus parler d'eux pendant longtemps. Placez-les dans l'espace, sur la carte géographique de la province et par rapport à leur mère.

Régis et Jeanne habitent, à Montréal, un petit appartement situé sur le Plateau-Mont-Royal, un quartier pauvre. Ils ont déménagé quatre fois en quatre ans et ont autant d'enfants : Gatien, qu'on a rencontré, Lise, une blondinette aux yeux bleu pâle et aux cheveux bouclés, le portrait de sa mère, Jonas et Pierre, noirs frisés aux yeux foncés.

Régis, tout en travaillant très fort pour faire vivre sa famille, ne cesse de s'interroger sur le sens de son existence. C'est un bon ouvrier et, devant l'arrogance des patrons qui embauchent et débauchent comme on crie lapin, il devient syndicaliste. Jeanne a des impatiences avec sa progéniture. Incapable d'accepter qu'un enfant lui résiste, qu'il refuse de manger ce qu'elle lui propose, par exemple, elle tape. Régis est absent au moment où cela se produit. S'il était présent, il n'arrêterait probablement pas son geste ; lui-même a été frappé, il considère maintenant que ça ne lui a pas nui et que le respect dû aux parents est la valeur essentielle en ce monde. De plus, en réaction à une enfance qui s'est déroulée au milieu d'une querelle perpétuelle, il exige que sa femme et lui fassent front commun devant les enfants. S'il y a dissension, c'est elle qui cède ; il arrive aussi que ce soit lui, du moins les premières années de leur union.

Après avoir vécu à Sherbrooke, à Rivière-du-Loup et à Montmagny au hasard des emplois de Régis, ils déménageront à Sherbrooke dans quelques mois — les pauvres —, se rapprochant de Catherine et de sa domination.

Dorothée, qui a attendu que l'hôtel soit vendu pour avoir une vie à elle, doit repousser cette échéance parce que la séparation de ses parents est inévitable. Elle est pleine d'énergie et de courage, elle assiste à la messe tous les dimanches, propre, discrète et élégante, elle entretient la maison avec un soin diligent, elle ne soupire ni ne se plaint, sachant qu'il est inutile d'essayer de réparer la vie commune de ses parents, sa mère étant tellement plus forte et plus intelligente que son père. Lui, elle a beau ne pas le mépriser totalement, elle aime que les gens bougent et travaillent, et le fait de le voir tous les jours se bercer sur la galerie en fumant sa pipe, les pouces accrochés à ses bretelles, aller se promener, puis se bercer sur la galerie en fumant sa pipe et aller se promener, les pouces toujours accrochés à ses bretelles, la met dans un état d'irritation voisin de l'hystérie.

Elle manque de confiance en elle ; elle ne complète pas un plat sans demander à sa mère d'en vérifier l'assaisonnement. Son cœur est en attente. Elle est généreuse, elle gâte les enfants de ses frères, les embrasse, les cajole et regrette de ne pas en avoir à elle. Plus tard. Cela viendra plus tard. Il lui suffit de patienter, son heure arrivera, elle en est certaine.

Auguste à la belle tête ronde est loin, très loin. Il se protège. Il a rejoint le fief paternel, à Saint-Norbert, il travaille et il a plusieurs enfants : trois déjà nés et un quatrième est en route. Lucienne est exsangue; c'est beaucoup pour sa frêle constitution, quatre enfants en quatre ans. Elle est tout près de la dépression nerveuse, d'autant plus qu'elle reçoit peu de soutien de la part de son mari. Pour lui, qui s'est construit à l'opposé de sa mère, la vie est un phénomène étale et simple; si les comptes sont payés et les enfants propres, tout va très bien, madame la duchesse. Il n'éprouve aucun besoin de discuter parce qu'il est sûr d'avoir raison; il travaille dur pour faire vivre sa petite famille et il y réussit, personne ne pourra l'accuser d'être mauvais mari ou mauvais père.

Il s'est lié d'amitié avec le curé de la paroisse, Jean-Philippe Morneau — qui a harangué Catherine en chaire à cause d'un pantalon —, grand amateur de pêche, de chasse et d'espaces verts. S'il a des questions sur le comportement à adopter envers sa femme ou ses enfants, c'est à Jean-Philippe qu'il les pose et il reçoit des réponses qui lui conviennent. Cher Auguste. Un esprit simple, je vous dis.

Lucienne exprime-t-elle des frustrations? Il estime qu'elle exagère et ne l'écoute pas. Il a trop entendu sa mère se plaindre à tort et à travers, cela ne réussit qu'à l'irriter. Il ne pèche pas, qu'aurait-on à lui reprocher? Rien du tout. Au fond — lui et son ami sont d'accord là-dessus —, les femmes se ressemblent; si certaines sont plus agréables et désirables que d'autres, elles ont toutes des requêtes impossibles à satisfaire et elles inventent des problèmes juste pour le plaisir. Ou parce que c'est dans leur nature. La sienne a cependant une qualité qu'il apprécie, celle de ne jamais se refuser à lui. Quand on a des appétits sexuels constants et un appareil reproducteur en bon état, que cet appareil a été considéré comme une nuisance malgré qu'il soit si jouissif et si puissant, on apprécie pouvoir s'en servir avec l'esprit délivré des spectres du péché mortel et de la mauvaise conduite.

Philibert vit à Sherbrooke, non loin de sa mère. Il file le parfait bonheur, servi dans deux maisons par des femmes amoureuses de lui. Marie-Louise rentre petit à petit en grâce auprès de son époux. Si lui a de la difficulté à garder un emploi, elle, en revanche, est infirmière à plein temps, ce qui leur rapporte un revenu régulier. Leur vie est harmonieuse jusqu'à ce qu'ils aient un premier enfant. Philibert, alors, se sent supplanté par le bébé, ce qu'il aura du mal à accepter.

Maria, à vingt-six ans, ne sait que penser. Elle a un regard de chien battu et le dos un peu courbé. Elle a de beaux vêtements, elle sait repasser, faire le lavage et compter les sous. La plupart du temps, personne ne sollicite son opinion et, quand elle l'émet, personne n'en tient compte. Elle apprend donc à ne pas avoir d'opinion. Exprime-t-elle une préférence ? Sa mère et ses sœurs jugent qu'elle n'a pas de goût. Bientôt, elle en arrivera à ne plus savoir ce qu'elle aime. Elle s'habille avec les robes que Catherine lui coud sans lui demander son avis et qui, heureusement, sont plutôt seyantes ; Catherine, elle, a du goût, n'est-ce pas ?

C'est une petite princesse oubliée dans son coin, pour laquelle personne ne va quérir de prince célibataire et charmant. Il y a des contes qui ne s'écrivent pas parce que les fils de rois ont raté le rendez-vous du destin ou parce que la méchante belle-mère a réussi à fermer la porte du château à double tour, les empêchant d'entrer, d'embrasser et de délivrer la Belle au bois dormant. Maria est ainsi, assise sur sa chaise droite, jolie, le teint frais, les yeux foncés ; avec son sourire ravissant, elle se tient face à une porte où personne ne se présente, que nul prétendant n'ouvrira parce que Catherine l'a verrouillée.

Elle ne peut pas être longtemps assise sur ce siège raide et étroit, Catherine ne supportant pas de la voir les bras posés sur elle. Elle se lève alors et travaille, ce qui irrite également sa mère, qui juge qu'elle ne sait pas y faire. Et Dorothée, qui a l'impression de l'avoir dans ses jambes. En réalité, Maria n'a de repos que dans son lit, mais les autres lui reprochent de se lever trop tard.

Et il y a Murielle. Qui joue du piano, qui aime son père et qui a l'esprit libre... enfin, plus libre que celui de ses frères et sœurs. Elle se garde à bonne distance de Catherine, qui projette sur elle ses fantasmes de réussite sociale. Elle est jolie et instruite, et Catherine veut qu'elle épouse un homme de « la haute », surveillant ses cavaliers, qu'elle juge tous inadéquats par rapport à l'ambition qu'elle nourrit. Chaque fois que l'un d'eux quitte Murielle, ou que Murielle en quitte un, elle est d'accord :

— Il était pas pour toi, celui-là.

Murielle, pas dupe, lui réplique :

— S'il fallait que j'attende d'en trouver un qui soit à ton goût, je mourrais vieille fille.

Ce à quoi Catherine conclut à tout coup :

— C'est la grâce que je te souhaite !

Murielle, alors, joue du piano. Elle ne s'entend pas avec Maria, les deux filles n'ont pas joué ensemble durant leur enfance, elles n'ont aucune affinité. Par contre, elle adore Dorothée qui l'a pratiquement élevée.

Quand elle songe à son père, ce doux homme vieillissant, elle a un peu pitié de lui. Pour avoir épousé cette mégère de Catherine, il fallait qu'il manque de chance, qu'il connaisse mal ses capacités ou qu'il soit incapable de se méfier de qui que ce soit. C'est plutôt ça, la vérité. Il ne se méfie pas. On peut le rouler dans la farine, dans le sel, le goudron et les plumes, il ne vous en voudra pas. C'est pour cette raison qu'il n'a pas de rancœur envers Catherine, malgré les traitements qu'elle lui fait subir. Il serait prêt à tout redémarrer avec elle si elle se calmait. Voilà trente ans qu'il attend qu'elle s'apaise, qu'elle comprenne le bon sens, qu'elle le regarde avec tendresse et amitié ; peine perdue, elle est incapable d'avoir autre chose dans les yeux que sa haine et son irritation.

Toutes les fois que les épouses de Régis ou Auguste accouchent d'un nouveau marmot, elles envoient leurs enfants séjourner dans la rue Québec pour souffler un peu, avoir un répit. La maison, qui retentit habituellement des colères de Catherine, des remarques de Dorothée et des plaintes de

Maria, s'offre quelques jours de joie grâce aux enfants. Toute la famille les adore.

France, ma sœur aînée, y a fait deux visites consécutives. La première pour la naissance de Janvier, mon frère, et la seconde pour ma naissance. Elle en garde un souvenir troublé. À cet âge précoce, elle a perçu que grand-maman et les tantes affirment une chose devant vous et une autre derrière, qu'on ne peut pas se fier à leur parole ni à leur amour. Elle a deviné aussi qu'il fallait être du côté de grand-maman, puisqu'elle finit par dire, dans son langage enfantin, cette phrase dont les tantes se souviennent :

— Si les gros chars pouvaient passer sur grand-papa, on serait débarrassés, hein, grand-maman ?

Catherine rit à gorge déployée en admirant l'intelligence de la fillette ; elle n'est jamais si heureuse que quand elle rallie quelqu'un à sa cause.

Cahin-caha va donc la vie pour Catherine et ses enfants au moment où elle n'a qu'une idée en tête, se séparer de Camille.

38

Catherine veut, veut, veut éliminer Camille de sa vie. Elle en rêve depuis des années, c'est son but, c'est la porte illuminée vers laquelle elle se dirige inexorablement, propulsée par la force de son désir. Ses enfants sont élevés, l'hôtel est vendu, ses fils sont casés, ses filles sont en âge et capables de gagner leur vie, elle peut mener à bien son projet sans encourir de blâme, le sien ou celui des autres, elle peut briser une partie des chaînes qui l'attachent. Rien que d'y penser, son cœur saute de joie.

Ce n'est pas simple, mais rien ne l'arrête. D'abord, rencontrer un avocat. L'argent, messieurs dames, l'argent! Il ne sera pas dit qu'elle a travaillé toutes ces années pour se retrouver sans le sou alors que son futur ex-époux vivra des rentes générées par la vente de l'hôtel. Par conséquent, engager un avocat qui négociera avec Camille pour régler les problèmes juridiques et financiers.

Si elle sait qu'il n'aura pas le cœur de lui refuser une part du pécule familial, elle est tout de même inquiète. Au cours des années, elle s'est donné des justifications pour ne pas le traiter de façon juste et équitable, elle en est consciente: cela prend la forme d'une vague culpabilité réprimée avec colère. Elle craint sa rancœur et sa vengeance, qu'elle imagine gargantuesques, en proportion des siennes. Elle se prépare à mener un combat acharné pour qu'il reconnaisse la valeur de son travail et de celui de ses filles, pour lui arracher au moins la moitié des sommes qu'il détient... Que la moitié?

Elle n'a pas à raisonner longtemps pour se prouver qu'elle en mérite plus que lui, elle a tant travaillé, et lui si peu !

Ce n'est pas sa seule bataille.

Elle a beau ne pas être très pratiquante, elle ne voudrait pas quitter son époux sans l'assentiment de l'Église, qui représente Dieu, lequel a commandé à l'homme de ne pas séparer ce qu'il a uni. Théoriquement, elle n'aurait qu'à déménager et le tour serait joué mais, en 1948, briser un mariage sans la bénédiction des autorités religieuses équivaut à se reléguer au ban de la société, à vivre dans le péché, à avoir honte et à se cacher. Cela, il n'en est pas question. Elle a trop besoin de l'approbation des autres. Quand on pose des gestes de cette puissance, on le fait dans les règles ou pas du tout. Dans l'honneur, la dignité et le respect des convenances.

Alors.

Alors, un jour, elle enfile sa robe la plus sobre, c'est-à-dire la moins décolletée et la plus sombre, se coiffe d'un chapeau discret — elle en achète un pour la circonstance — et se rend chez un avocat, pour lui donner le mandat de préparer les papiers et de négocier avec Camille. Puis, après avoir respiré un bon coup, elle monte à l'évêché rencontrer monseigneur Letendre, à qui le prélat du diocèse de Sherbrooke a confié la tâche expresse de s'occuper des problèmes matrimoniaux de ses ouailles.

Si le divorce est hors de question, l'Église accorde quelquefois la permission à des époux de cesser de faire vie commune. Sauf qu'il faut avoir de bonnes raisons. De très bonnes raisons. Parmi celles-là figurent l'adultère — il doit être prouvé ou reconnu —, la cruauté mentale, la folie et une importante incompatibilité de caractère.

C'est ce dernier motif que Catherine plaide. L'impossibilité de s'entendre avec Camille. Et la voici qui expose dans le détail leurs habitudes si différentes, sa malpropreté, leurs tempéraments opposés, son absence de culture, leurs divergences de vues sur tout, son extrême difficulté à vivre, à s'épanouir, à trouver le repos et la paix que Dieu recommande à ses créatures. Elle met tout en œuvre pour démontrer que la présence de ce mari dans son quotidien est l'occasion de découragements, de colères, d'irritations et de perturbations émotives constantes, graves et durables.

Elle n'est pas fière de raconter son histoire à cet homme en noir qui l'écoute sans indulgence. Elle parle, parle et perd peu à peu son assurance. Si elle allait se ridiculiser et essuyer un refus ? Si elle ne parvenait pas à convaincre le prélat du bien-fondé de sa demande ? Si ses raisons n'étaient pas suffisamment bonnes pour lui ? Pensons-y un tantinet, elle n'a pas d'argument magistral pour appuyer sa requête. Camille ne l'a pas battue, n'a violé nulle femme autour de lui, n'a pas été incestueux, ne l'a pas humiliée par un couraillage incessant, n'est pas allé en prison. En plus, il n'est pas alcoolique, il a nourri sa famille et élevé ses enfants jusqu'à ce qu'ils soient grands, il la loge et paie les factures de leur vaste maison. C'est un homme responsable, un paroissien respecté. Ses torts sont difficiles à démontrer aux yeux d'un célibataire qui ne voit la réalité conjugale que par le bout de la lorgnette des principes, qui ne sait rien percevoir d'autre que des faits énormes comme l'adultère et l'irresponsabilité. La tâche de la plaignante n'est pas facile. De quelle façon prouver hors de tout doute, en l'absence de signes « ordinaires » de brutalité, une incompatibilité telle que son âme en est menacée, que son esprit risque la débandade ?

Monseigneur Letendre n'est pas tendre. Il résiste. Elle a beau utiliser tout son charme, il campe sur ses positions. L'aisance de Catherine, ici, la dessert : elle est si belle, comment croire qu'elle est malheureuse ? Elle est si maîtresse d'elle-même, comment imaginer qu'elle est désespérée ? Et pourquoi n'accepte-t-elle pas ces menues épreuves pour la gloire de Dieu et le salut de son âme ?

Catherine retourne chez elle sans avoir la permission désirée. Elle est tout juste parvenue à ce que le bon prélat —

qu'elle juge désormais idiot sans bon sens — ne ferme pas son dossier. Elle frémit. Si elle rate sa chance, elle ne la retrouvera pas. Il faut qu'elle réussisse.

Pour cela, il n'y a qu'une solution, c'est que Camille accepte de signer une reconnaissance d'adultère.

Or, il ne veut pas. Il aime sa Catherine; il s'est, il faut le supposer, habitué à la vie chicanière qu'il mène avec elle, il refuse de la perdre, il ne saurait comment vivre autrement. Devant sa résistance, elle entreprend une charge puissante, char montant à l'assaut d'une colline où des tireurs embusqués le défient. Elle insiste tant et tellement, de jour et de nuit, des semaines durant, menace tant et tellement de lui rendre la vie impossible, de ne plus le servir à table, de ne pas laver et repasser ses vêtements, de ne plus lui parler, qu'à bout de patience et de ressources il finit par céder. Il signera, il reconnaîtra son péché. Elle exulte, elle a gagné.

Alors.

Il a hésité un long moment. Pendant qu'il tergiversait et se faisait contre son gré à l'idée de perdre sa femme et ses filles, ses trois fils, sentant se rapprocher l'inévitable conclusion, se consultent et le rencontrent. Ils lui font valoir que Catherine, Dorothée, Maria et Murielle devront gagner leur vie et lui proposent un arrangement. Il pourrait les doter tout de suite à la séparation, elles seraient ainsi en possession d'une somme suffisante pour se créer un gagne-pain. Camille accepte l'idée et offre trois mille dollars à chacune de ses filles.

Ensemble, elles achètent un magasin de vêtements pour enfants dans la rue Queen. Entre-temps, elles ont calculé qu'elles n'auront pas les moyens de demeurer dans l'immense et luxueuse maison de la rue Québec et chargent Camille de la vendre. Il y réussit sans mal — la guerre est terminée — et réalise un joli profit, dont il cède une partie à Catherine. Elle achète à son tour une maison, qu'elle met au nom de Dorothée, ce qui lui permettra de recevoir une pension plus importante du gouvernement le moment venu.

De cette façon, tout est réglé. Catherine a sa séparation, de l'argent, et les filles ont de quoi vivre, Camille n'a plus qu'à partir. Ces trente-quatre ans de vie commune s'éteignent dans les cris, à travers le déménagement et le tri de meubles, de vaisselle, de livres, de bibelots, les empilements de cartons, de draps, de vêtements et de tissus.

Je ne sais pas qui prépare les bagages de mon grand-père, Dorothée, sans doute, étant donné que Catherine ne veut plus toucher à rien de ce qui lui appartient. Il quitte Sherbrooke pour retourner à Saint-Norbert ; ses cheveux sont blancs et clairsemés sur son front, ses yeux toujours bleus, il a soixante-cinq ans et le cœur brisé. Pour mettre le point final à leur union, Catherine lui a juré solennellement qu'ils ne se reverraient plus en ce bas monde.

Elle emménage avec ses filles dans la petite maison de la rue Wolfe, qui compte deux étages plus un sous-sol en ciment, et sept fenêtres en tout et pour tout. C'est là que je l'ai connue.

Voilà.

Elle a cinquante-deux ans, c'est la fin de sa période de rayonnement social. Souveraine et régente d'hôtel, talentueuse cuisinière, elle quitte la lumière pour gagner l'ombre, elle ne dirigera plus d'employés, ne charmera plus les voyageurs de commerce, ne dansera plus dans une vaste cuisine meublée d'une immense et joyeuse table rouge.

Il me semble la voir au milieu de ses meubles, une grande statue de plâtre peint de la Vierge Marie écrasant un serpent à sa droite, celle d'un apollon nu au sexe en évidence sur sa gauche, des empilages de boîtes devant et derrière, une odeur d'ail flottant dans la maison, qui ouvre les bras à ses filles et leur annonce, avec un enthousiasme pas tout à fait partagé :

— On va être heureuses ensemble, mes belles filles ! On va être bien ! Tout le temps ! Je suis si contente !

Voilà.

39

Je referme le tiroir où je range les photos de ma grand-mère. J'en ai des masses, que j'ai récupérées après sa mort.

Curieux. Ses photographies retournent sans peine au fond de la commode alors que celles des autres personnages s'en échappent. J'en trouve partout dans la maison. Régis, Auguste, Dorothée, Maria, Murielle et Philibert. Que j'aime. Qui sont bien vivants en moi avec leur douleur et leur rire puissant, sonore, ouvert, heureux… Heureux ? Quelquefois, oui, sans doute. Je ne sais plus.

J'arrête.

Ça ne donne rien de raconter. Je ne décolère pas. Hier, bouleversée par sa séparation, par la vision que j'ai d'elle et de ses trois filles s'installant dans la rue Wolfe, j'ai failli lancer ma production de colliers à la mer. Toute cette haine. Je pensais me débarrasser d'un syndrome que j'ai hérité d'elle, l'incapacité à pardonner, ça ne marche pas. Je vais devoir trouver un nouveau moyen. Je pensais réconcilier les diverses factions de la famille en leur apprenant d'où leur vient le goût de la discorde, je ne réussis pas. Pas pour le moment.

J'ai la gorge sèche. Et le cœur à l'envers.

L'hiver approche. Je ferai d'autres colliers que je vendrai à des bijoutiers ou à des clients. Justement, demain, j'en monterai une rangée couleur d'embruns, aigues-marines transparentes à multiples facettes, turquoise très pâle sur un fil de même couleur, ce qui approfondira la teinte. Un ravissement.

Aujourd'hui, je songe à mes oncles et à mes tantes et, pour m'amuser, je me pose une série de questions auxquelles je suis seule à pouvoir répondre — quand j'étais petite, on suivait des séries télévisées qui se terminaient, chaque semaine, avec des interrogations comme celles-là :

— Grand-maman et les tantes seront-elles heureuses dans leur nouvelle petite maison ?

— Connaîtront-elles le succès avec leur magasin ?

— Dorothée réussira-t-elle à se marier en dépit de Catherine qui veut la retenir près d'elle ?

— Maria s'épanouira-t-elle ?

— Catherine trouvera-t-elle la paix du cœur et du corps ?

— Camille continuera-t-il à avoir les yeux bleus ?

— Philibert deviendra-t-il amoureux de Marie-Louise un jour ?

— Lucienne se pliera-t-elle longtemps au désir d'Auguste ?

— Jeanne rentrera-t-elle en grâce auprès de Catherine ?

— Murielle aura-t-elle des enfants ?

— Combien Catherine aura-t-elle de petits-enfants ?

— Vivra-t-elle assez longtemps pour connaître ses arrière-petits-enfants ?

Je l'admets, je triche, j'insère toujours quelques questions auxquelles je peux répondre oui.

Ça m'aide à vivre.

Parus à la courte échelle :

Parus à la courte échelle en format de poche :

Achevé d'imprimer
sur les presses de Litho Acme inc.